60分でわかる！ THE BEGINNER'S GUIDE TO FINANCIAL STATEMENT

財務3表 超入門

FINANCIAL STATEMENT

［著］税理士法人創新會計 代表 高良明

技術評論社

Contents

Part 1 決算書は経営の通信簿

Part 3 損益計算書(P/L)から何がわかるか 55

Part 4 キャッシュフロー計算書(C/F)から何がわかるか 73

Part

■『ご注意』ご購入・ご利用の前に必ずお読みください

本書に記載された内容は、情報の提供のみを目的としています。したがって、本書を参考にした運用は、必ずご自身の責任と判断において行ってください。本書の情報に基づいた運用の結果、想定した通りの成果が得られなかったり、損害が発生しても弊社および著者はいかなる責任も負いません。

計算結果は、近似値を記載している場合があります。

Part 1

決算書は経営の通信簿

決算書はビジネスの共通資料

会計は世界共通言語

「売った！」「買った！」「いくら儲けた！」これが商売です。こういった**商売の取引を帳簿に記入して、一定期間、一定のルールに従ってまとめたものが決算書**です。

「1,000」一体これは何を意味するのでしょう？　と問われても、数字の1,000としか答えられません。「1,000円」となったらどうでしょうか？　これでもお金の1,000円としかわかりません。では「売上高1,000円」は？　ようやく売上が1,000円だということがわかります。しかし、いつ誰にどんな品物が売れたかはわかりません。「2024年7月1日、A客、A品、現金売上1,000円」とあれば言語としてわかります。現代では、小売業の場合、レジでまとめて記録・集計し、現金などと合わせてチェックして日々締めの作業が行われます。会計の世界では、これらを仕訳と帳簿記録という世界共通の処理でまとめ、**ビジネスの共通資料の決算書**が作られます。

決算書は商売の報告書（経営の通信簿）

決算書は、1年間どれだけ儲けたのか、活動状況はどうだったのか、お金や財産の状態はどうなっているのかなど会計語（勘定科目）と計数（金額）を通してまとめられます。

これによって、資金に不足はないか、儲け具合はどうかなど、経営者をはじめ、株主など、利害関係者にわかってもらうことができます。いわゆる決算書はビジネスの共通資料としての**商売の報告書**であり**経営の通信簿**といえるものです。

数字を言語化する意味

「1,000」⟶意味不明
「1,000円」⟶金額表記のみ
「売上高1,000円」⟶売上高が1,000円とわかるが詳細不明
「2024年7月1日、A客、A品、現金売上1,000円」⟶2024年7月1日に、A客にA品を現金にて1,000円売り上げた

会計の共通語にまとめる（仕訳伝票）
次のように伝票に記入する

2024年7月1日
（借方）現金　1,000円　　（貸方）売上高　1,000円
（摘要）A客にA品5個@200円

商売の記録を帳簿にまとめて決算書を作る
上記のように日常取引を1年間まとめて決算書を作成する

まとめ
- □ 会計は世界共通語としてどの国でも通用する
- □ 決算書は一定期間の商売の集大成の報告書で「経営の通信簿」

財務3表は決算書の柱

▶決算書は3つの表から

商売を通じて1年間（事業年度という）の経営の良し悪しを明らかにする決算書の柱は、**貸借対照表、損益計算書、キャッシュフロー計算書**（正確にはキャッシュ・フロー計算書と書くが、本書では略して記載）の**3つの表**（通称**財務3表**という）で表されます。

「貸借対照表」(B/S：Balance Sheet) は、企業の一定時点の財政状態を表したものです。現金預金をはじめ、どのような「資産」をどれだけもっているか、借入金など外部からの資金調達（「負債」という）はどれだけあるか、資産と負債の差額である株主の持分（「純資産」という。p.44参照）はどれだけか、などの経営状態、いわゆる財政状態を知ることができます。

「損益計算書」(P/L：Profit and Loss Statement) は、その事業年度でどれだけの儲けを上げたかの「業績」(経営成績) を表したものです。売上高からさまざまな費用を差し引いて利益の状況を見ることができます。

「キャッシュフロー計算書」(C/F：Cash-Flow Statement) は、その事業年度のお金の動き（流れ）を活動の性質ごとに明らかにするものです。貸借対照表と損益計算書で企業の財務状況は大体わかりますが、お金の動きはこの2つではわかりません。

なお、企業を規制する「会社法」ではキャッシュフロー計算書は決算書の報告書として含まれませんが、上場企業など金融商品取引法に準拠する会社は含まれます。

法律によって義務付けられている決算書の種類

会社法

会社に関するあらゆるルールを法律として定めたもので、決算書は**計算書類**と呼ばれている

金融商品取引法

金融商品取引所に上場されている有価証券などに適用される法律で、決算書は**財務諸表**と呼ばれている

	会社法の定めで作成する決算書（計算書類）	金融商品取引法の定めで作成する決算書（財務諸表）
●貸借対照表	○	○
●損益計算書	○	○
株主資本等変動計算書	○	○
個別注記表	○	—
●キャッシュフロー計算書	—	○
附属明細表	—	○

●は財務３表

「会社法」と「金融商品取引法」は目的によって対象や様式など若干の違いはあるが、基本的には同一と考えてよい

まとめ

- □ 貸借対照表は、英語でBalance Sheet（バランスシート）と書き、通称（B/S）と略して呼ぶ
- □ 損益計算書は、Profit and Loss Statementで略して（P/L）と呼び、またキャッシュフロー計算書は、Cash･Flow Statementで略して（C/F）と呼ぶ

決算書は利害関係者に対する報告資料であり経営の判断資料

決算書を読めないと経営者、ビジネスマン失格

財務3表を柱とする決算書は企業活動の結果を会計のルールに従ってまとめたものなので、**経営の通信簿**とか**経営を映す鏡**あるいは**会社の健康診断書**などとさまざまにいわれています。これほどに決算書は企業経営にとって重要なものです。したがって、経営者はもちろんのことビジネスマンにとって、決算書が読めないということはビジネスでは致命傷であり、失格という烙印を押されても仕方ありません。

決算書の意義と役割

決算書は、税務署や株主（投資家）、銀行や取引先などに報告公開され、それぞれの利害関係者に活用されます。このように決算書は**利害関係者への報告資料**となって、投資や取引を行う際の重要な判断資料となります。これは会計の第一の役割で**財務会計**といわれる分野です。

報告資料と同時に、経営者やビジネスマンが決算書を読み解き、課題や問題を発見・探求して解決していかなければ企業の発展はありません。企業を維持発展していくためには、決算書は**経営の重要な判断資料や解決資料**になるものです。これが**管理会計**の分野です。経営者やビジネスマンは、決算書を有効に活用して経営方針や経営戦略、経営計画などの策定、経営改善に努めていく役割と責務があります。

▶ 決算書の機能と会計の役割

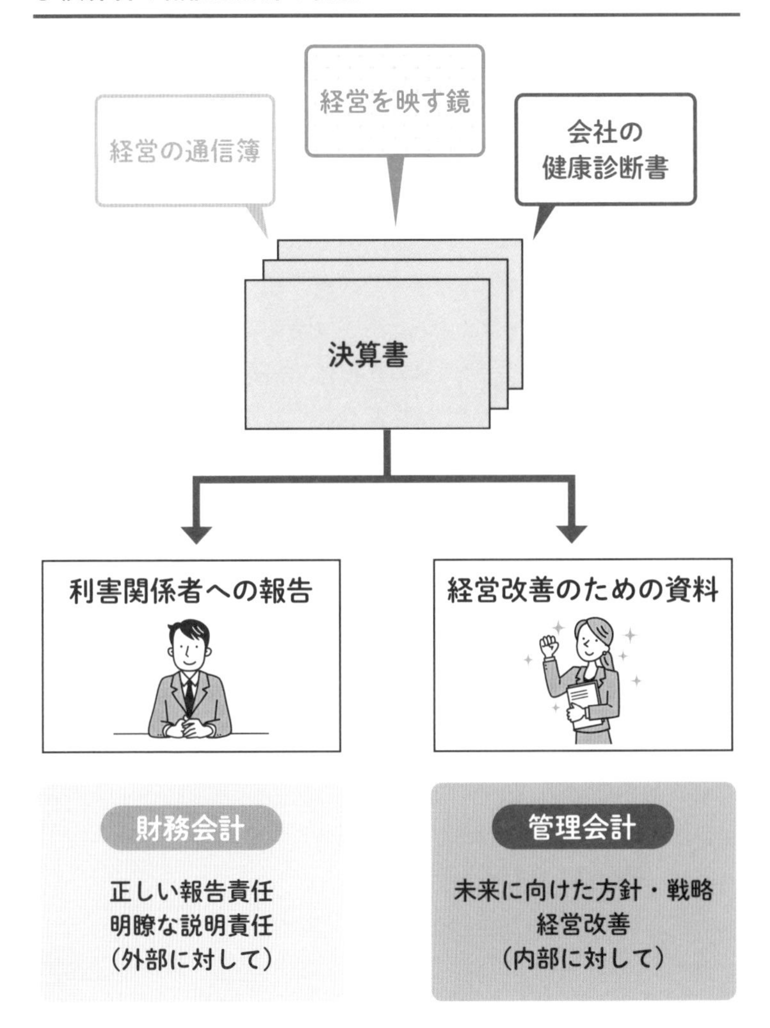

まとめ
□ 決算書は利害関係者に重要な報告資料になると同時に経営者にとっては経営の重要な資料である

決算書で企業の価値が判断される

決算書は企業価値の判断資料として多岐に活用される

決算書は、各利害関係者が企業の評価をするうえで欠かせない重要な経営資料です。決算書が正しいと担保する機関が企業内の**監査役**であり、外部の独立監査人**公認会計士**や**監査法人**です。

決算書は**企業価値を表す**ものとして、経営者のみならず多岐にわたって活用されます。

株主や投資家は、決算書を確認して配当の妥当性や投資するか否かの判断を行います。税務署は、「所得」と「納税額」が正しく計算されているか確認し判断します。銀行では、信用格付けを行い、安全性などを見て融資の有無や回収の状況を確認します。投資ファンドや企業買収を行う者は、決算書などにより企業の価値を算定し将来のキャッシュフローを生む予測を立てます。

また、決算書のうち財務3表には次のような**価値の判断基準**があります。

・貸借対照表（B/S）：資産・負債・純資産のバランスや財産の蓄積価値（**財政バランスと財産力**）
・損益計算書（P/L）：利益の創出価値（**収益力**）
・キャッシュフロー計算書（C/F）：お金の創出価値（**資金の創造力**）

現代においては、企業買収が盛んに行われるようになり、決算書を通じて将来のキャッシュフローを見積もって現在の企業価値を算定するファイナンスが登場しています。

決算書は企業価値の判断資料

【利害関係者の企業価値判断】

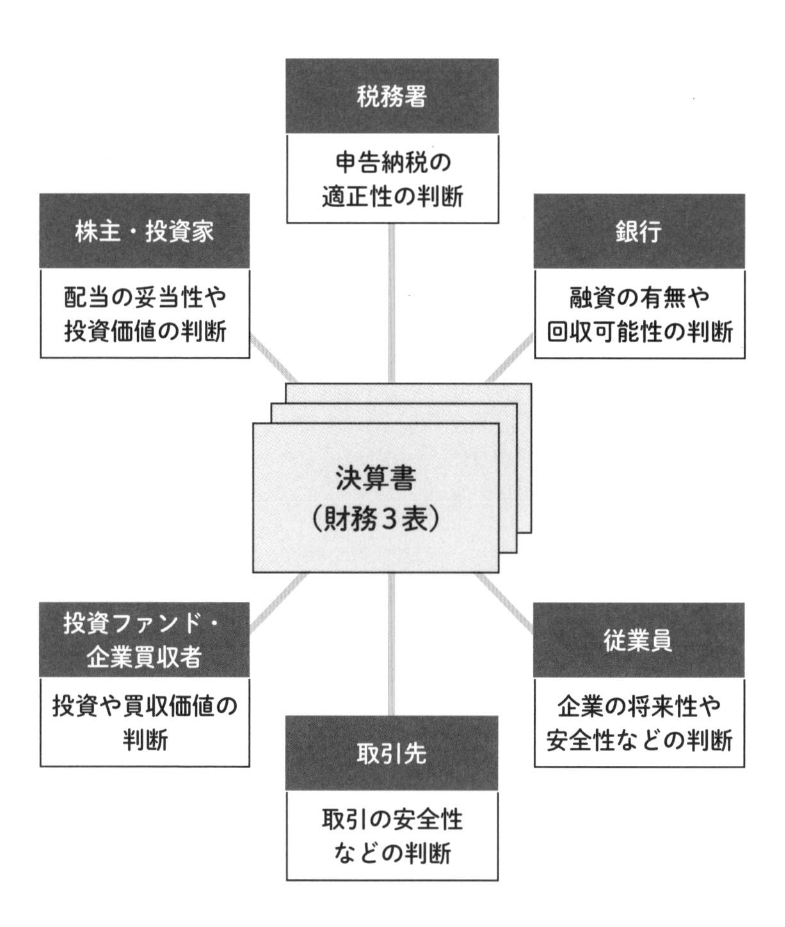

まとめ

- □ 決算書はさまざまな利害関係者に活用されている
- □ 決算書は過去のデータのみならず将来の予測資料としても活用されている

決算書はこうして作られる

B/SとP/Lの作成は帳簿の記録から始まる

決算書のうち、とくに貸借対照表（B/S）と損益計算書（P/L）は帳簿への記入（記録）によって体系的にまとめられたものです。この帳簿への記入は一定のルールに従って行われます。この一定のルールが**簿記**といわれるものです。

「簿記」は帳簿記録を略した名称といわれるように、会計の基礎をなします。なお、企業の取引はさまざまなものがありますが、取引先との売買交渉、取引の契約、他人の保証などいまだ財産に影響を及ぼしていない取引は会計の帳簿には記録されません。

簿記の基本

簿記には「複式簿記」と「単式簿記」の2種類がありますが、複雑で取引の多い現代では、会社は**複式簿記**が採用されます。「単式簿記」は、家計簿のようにお金の出入りを中心に記録し、お金の残高を確認していくので、資産の状況などは正確にはわかりません。

一方「複式簿記」では、1つの取引を二方向（左側の借方と右側の貸方）から**仕訳**という方法を用いて記録・整理していきます。会社の帳簿はこの複式簿記を採用しなければなりません。

取引が発生するごとに、請求書や領収書、各種の伝票や集計から「仕訳」を通じて、現金出納帳や預金出納帳、得意先元帳や仕入先元帳、総勘定元帳などに記入され、月次の段階では残高試算表が作成されます。このように帳簿に記入されたデータは年に1度決算整理を行い、決算書が作られます。

▶ 帳簿記入から決算書作成までの流れ

会計の基本的な流れ

現代は会計ソフトの開発で、取引の入力により自動的に各帳簿や決算書まで作られる

【日々の経理業務】

❶ 取引の発生　（領収書、請求書、納品書など）

売上げ、仕入れ、備品の購入、経費の支払いなど

❷ 伝票への起票　（「仕訳」の作成）

入金、出金、振替伝票に基づいて仕訳の作成。仕訳は1つの取引を左側の借方と右側の貸方に整理する処理

❸ 帳簿記入

現金出納帳、預金出納帳、売上帳、仕入帳などの帳簿（補助簿という）に記入

❹ 総勘定元帳に転記および月次試算表の作成

すべての勘定科目に該当金額と内容を記入し、それから月次の試算表を作成する（借方と貸方は必ず一致する）

【通常は年に一度行う決算業務】

❺ 決算の準備

減価償却費の計上や在庫（棚卸商品）の確認などの決算調整を行い、精算表を作る

❻ 決算書の作成

貸借対照表や損益計算書を作る

まとめ　□ 決算書作成の基礎は「複式簿記」

貸借対照表と損益計算書作成の要は「仕訳」にある

▶決算書は複式簿記から、複式簿記は仕訳から

貸借対照表（B/S）と損益計算書（P/L）は企業活動の取引を複式簿記の仕組みから誘導されて作られますが、その要石となる簿記の基本は**仕訳**にあります。

複式簿記のルールでは、お金の流れを中心に次の5つの項目と各種の取引項目（勘定科目という）に分類します。

資　産……現金、預金、受取手形、売掛金、建物など
負　債……買掛金、支払手形、未払金、借入金など
純資産……資本金、利益剰余金など
収　益……売上高、雑収入、受取利息など
費　用……仕入高、給料、賃借料、通信費、支払利息など

取引をこれらの勘定科目に分類して、左側（借方）と右側（貸方）に分けて整理します。これが**仕訳**です。

▶資金の運用と調達から見た仕訳整理

上記の分類で、負債、純資産および収益は、**資金の調達**要因となるもので、仕訳の右側（貸方）に表します。これらが左側（借方）に現れるのは負債、純資産および収益が減少する場合です。また、資産と費用は、**資金の運用**要因となるもので、仕訳の左側（借方）に表します。これらが右側（貸方）に現れるのは、資産と費用が減少する場合です。

すなわち、資産と費用の増加は借方（減少は貸方）に、負債、純資産および収益の増加は貸方（減少は借方）に仕訳整理されます。

資産、負債、純資産、収益、費用の仕訳の整理

左側（借方）	右側（貸方）
❶資産の増加	ⓐ負債の増加
❷負債の減少	ⓑ資産の減少
❸純資産の減少	ⓒ純資産の増加
❹費用の増加（発生）	ⓓ収益の増加（発生）
❺収益の減少（取消）	ⓔ費用の減少（取消）

取引に応じて上記のように分類される

（代表的な仕訳事例）

		（借方）	（貸方）
●掛売上	（❶とⓓ）	❶売掛金	／ⓓ売上高
●売掛回収	（❶とⓑ）	❶現金預金	／ⓑ売掛金
●掛仕入	（❹とⓐ）	❹仕入高	／ⓐ買掛金
●買掛支払	（❷とⓑ）	❷買掛金	／ⓑ現金預金
●借入実行	（❶とⓐ）	❶現金預金	／ⓐ借入金
●備品購入	（❶とⓑ）	❶什器備品	／ⓑ現金預金
●家賃支払	（❹とⓑ）	❹賃貸料	／ⓑ現金預金
●増資	（❶とⓒ）	❶現金預金	／ⓒ資本金

まとめ

- ☐ B/SとP/L作成の基礎は「複式簿記」から、要は「仕訳」にある
- ☐ 仕訳は左側の借方と右側の貸方に整理される

決算書作成の原則

企業が事業年度ごとに作る決算書は承認が必要

企業では、事業年度（通常は1年）ごとに区切って決算書が作られます。決算書は複式簿記による正確な会計帳簿に基づいて作成され、監査役設置会社では監査を受け、取締役会設置会社ではその承認を受けなければなりません。また定時株主総会に提出して最終的な承認を受けなければならないことになっています。

決算書作成の原則

決算書を作成するには、一般に公正妥当と認められる企業会計の慣行の**企業会計原則**や会社の計算に関する事項を定めた会社法の**会社計算規則**、あるいは税金の公平性を求める法人税法の**税法基準**などに準拠しなければなりません。企業会計原則には7つの重要な一般原則と損益計算書原則および貸借対照表原則があります。

損益計算書（P/L）は、企業の経営成績を明らかにするため、一事業年度に属するすべての収益と費用を計上します。収益・費用はその期間に発生したものを計上しますが（**発生主義**）、収益については実現したものに限ります（**実現主義**）。また収益・費用の期間の帰属を正しく行うため、当期の発生した収益と費用を対応させて利益を算出します（**費用収益対応の原則**）。貸借対照表（B/S）は、企業の財政状態を明らかにするため、事業年度末のすべての資産、負債および資本（企業会計原則では、概念上「資本」と称している）を記載します（**完全性の原則**）。また、資産・負債・資本は総額によって記載し、相殺してはいけません（**総額主義の原則**）。

▶ 会社法と会計の原則との関連

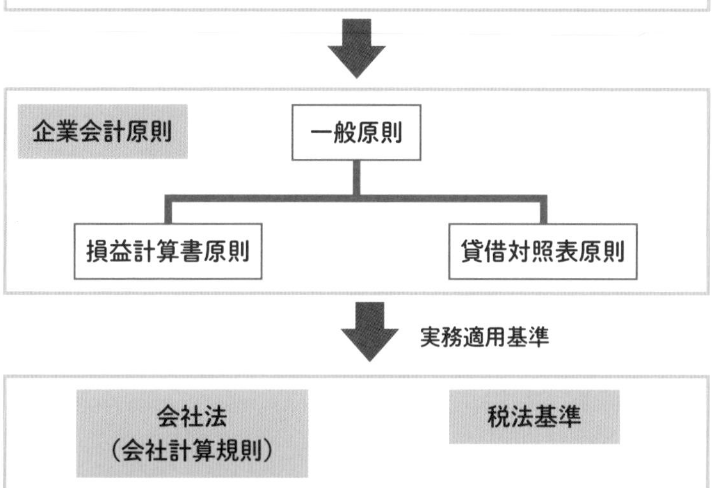

会社法
（会社計算規則）

税法基準

金融商品取引法
（財務諸表等規則）

企業会計の7つの一般原則

①決算書は真実の報告であること（真実性）
②正しい簿記の原則に従って決算書を作成すること（正規の簿記）
③資本と損益の取引を区別すること（資本・損益取引区分）
④決算書は明瞭に表示されるものであること（明瞭性）
⑤会計処理など毎期継続して行うこと（継続性）
⑥健全な会計処理を行うこと（保守主義）
⑦決算書は信頼しうる単一のものであること（単一性）

まとめ

□ 決算書は一定のルールに従って作成され、一定のルールによって承認され公開される

貸借対照表と損益計算書の基本構造

▶貸借対照表と損益計算書構造の基本

仕訳や帳簿記録によって**残高試算表**が作成され、これから貸借対照表と損益計算書の2つが作られます。この2つは、一定時点（事業年度末または期末という）の財政状態を表す貸借対照表と一定期間（事業年度）の儲け具合を表す損益計算書の2つが展開され、さらに加工をしてキャッシュフロー計算書が作成されます。

貸借対照表（B/S）は、一定時点の静止の状態を資金の調達（負債と資本金や利益剰余金などの純資産）の右側と、その運用（資産）として左側に記載され一覧で表します。すなわち、

資産（資金の運用）＝負債＋純資産（資金の調達）です。

損益計算書（P/L）は、一定期間の取引の動的状態を収益と費用に表します。簿記の形式では右側に収益を、左側に費用と利益が表示されます。すなわち**費用＋利益＝収益**です。B/SとP/Lは通常報告式にて、上から収益、費用、利益の順番で表示されます。

また、**キャッシュフロー計算書（C/F）**は、B/SとP/Lの2つから作られ、現金預金の期首から期末の静止状態と事業年度期間の動的状態の二面を同時に表しています。

残高試算表には取引の内容を表す資産、負債、純資産、収益、費用の5つの要素（項目）が計上されています（p.18参照）。収益から費用を差し引いた利益を貸借対照表と損益計算書に左右対称に計上することによって双方一致します。その**当期の利益が貸借対照表と損益計算書をつなぐ紐帯になります**。

▶ 貸借対照表と損益計算書の基本構造とつながり

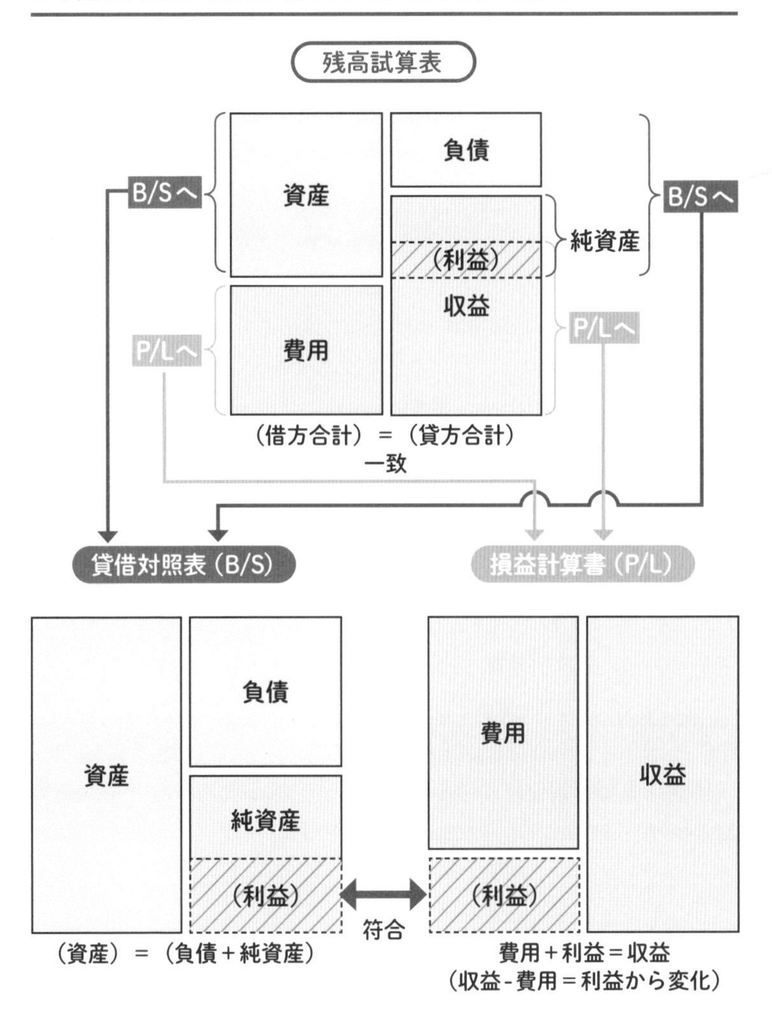

まとめ

□ 貸借対照表と損益計算書は、元々1つにつながっていたものをそれぞれの性格に分けたもの

グループ経営では連結決算書(連結財務諸表)が作られる

▶連結決算の必要性

企業は一社だけで活動するとは限りません。複数の会社を作ったり、買収したりして会社は自らも株主となって他の会社を支配し、グループとして活動することができます。50%超の株式を所有するなど実質支配する側の会社を**親会社**といい、支配される会社を**子会社**といいます。

親会社の個別の決算書だけでは、グループ全体の財政状態や経営成績はわかりません。子会社に多額の損失が出ていたり、親会社と子会社の取引を通じて利益調整（粉飾決算など）が行われることもあります。このようにグループ全体の財政状態や経営成績を正しく把握するために、**連結決算書**（**連結財務諸表**）が作られます。

▶連結決算によるグループ全体像の把握

連結決算は、親会社が中心となって支配を受ける子会社や関連会社を含め、1つのグループ会社として行われます。グループ内の資産・負債と純資産、収益と費用を合算して行われますが、単純な合算ではありません。親会社と子会社の取引はグループ内の取引として合算対象にしません。また、①親会社の子会社株式と子会社の資本金や資本準備金、その他剰余金の相殺、②売上高と仕入高の相殺、③売掛金と買掛金の相殺、④貸付金と借入金の相殺、⑤未実現利益の消去、などの**連結決算の整理**をしなければなりません。なお、連結決算が正しく行われるためには、決算日の統一や会計処理基準の統一など会計環境が整備されることが必要です。

企業集団はグループ全体で考える

大会社（会計監査人設置会社）は、企業集団の連結決算書（連結財務諸表）を作成して開示しなければならない

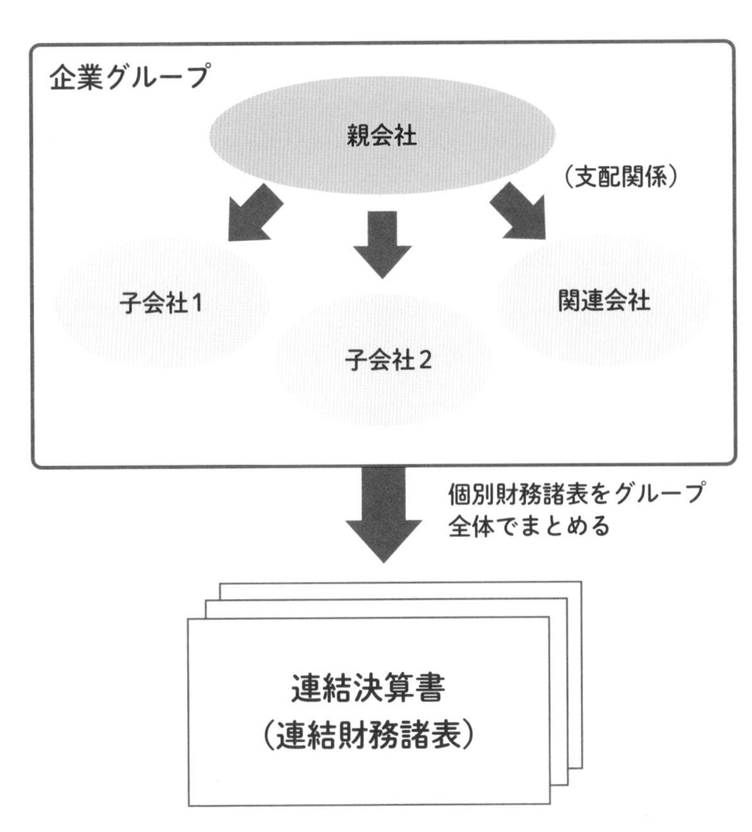

まとめ

- □ 連結決算書（連結財務諸表）は、連結貸借対照表、連結損益計算書、連結株主資本等変動計算書、連結注記表で構成される
- □ 上場会社では、連結キャッシュフロー計算書および連結附属明細表も開示される

決算書と決算スケジュール

▶決算書の作成と監査

決算期は各会社によって異なりますが、経理担当部署は、決算期が到来したら、決算の準備から決算書の作成、報告まで一切の決算業務を行います。1年間の取引が残高試算表としてまとめられ、**決算整理**（減価償却費の計上、棚卸資産の現物チェックと帳簿の確認、債権・債務の確認、あるいは貸倒引当金の設定など）を行って決算書が作成されます。上場会社などでは決算書の監査を独立した第三者の公認会計士や監査法人から受け、また監査役を置いている会社では監査役の監査を受けます。

▶承認決議による決算確定と利害関係者への報告

上場会社などでは監査済みの決算書は取締役または取締役会に提出され承認された後、定時株主総会の招集通知を作成し、決算書と事業報告書および監査報告を添付して株主に送付します。決算期末（基準日という）から3か月以内に定時株主総会が開かれ、決算報告をし、承認決議によって決算が確定します。

定時株主総会によって確定した決算書はさまざまな利害関係者に公開報告されます。

・**税務申告書**：決算書に基づいて税務申告書が作成され、税務署に決算書や内訳書など添付して申告提出される

・**有価証券報告書**：上場会社は事業報告と決算書の内容を開示する

・その他：**日刊新聞や官報に貸借対照表（B/S）を公告**する。ただし、大会社は損益計算書（P/L）も併せて公告する

非上場会社と上場会社の決算スケジュール（3月決算の場合）

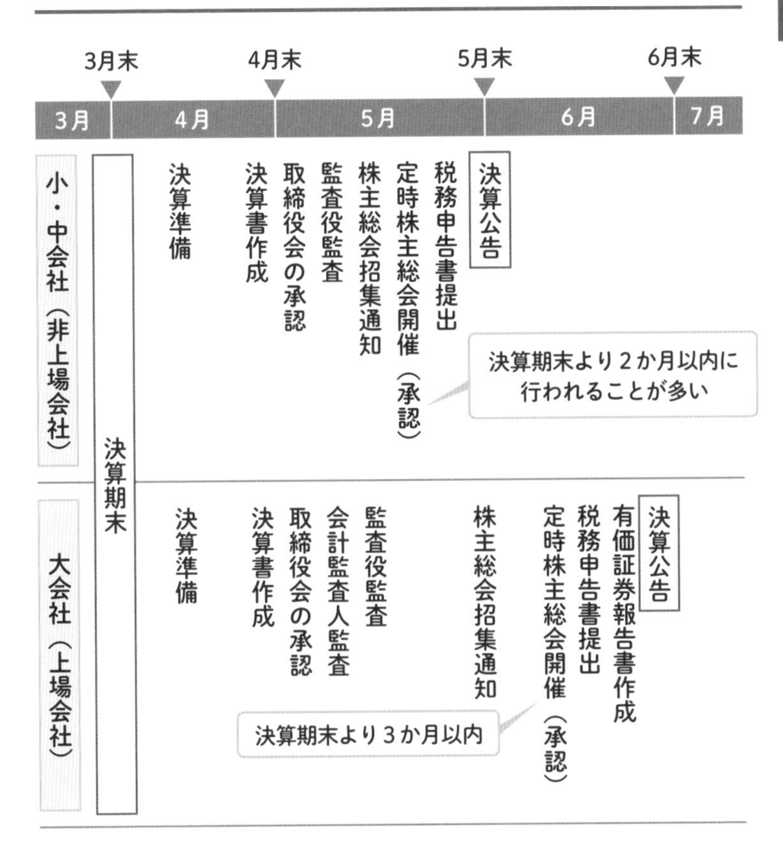

まとめ

☐ 株主総会の開催は会社法で決算期末後3か月以内と定められているが、税務申告期限が決算期末後2か月以内となっているため、小・中会社では通常2か月以内に行われている。なお、3か月以内に延長することも可能

▶ Column

簿記は、中世イタリア商人の活躍によって生まれた

会計の基礎である簿記は、中世（15世紀）イタリア商人の活躍によって生まれました。商売をするにはお金が必要です。商人は商売を始めるにあたって、まず自己の資金を用意します。しかし商品を仕入れたり、人を雇ったり、運搬具を購入したりするには自己資金だけでは足りません。お金を融資してくれるところが必要です。当時のイタリア、ヴェネツィアでは銀行を作り、商人に利息をつけて貸していました。商人は足りない資金を銀行から借りて、自己資金と合わせて商売を行ったのです。

銀行においても、正確な帳簿がなければ、融資額や利息の計算ができません。同じように商人においても、帳簿に取引の記録をきちんとしていなければ儲けがわかりません。雇用者への分配や銀行への返済や残金もわからなくなってしまい、信用も失墜してしまいます。こうした商業の発達を受けて、1494年にイタリア人の数学者、ルカ・パチョーリが「簿記」を発明し、会計が始まったのです。

イタリア商人は、資金を集め、必要な商品や調度品を整え、船を調達し、世界に向けて貿易を始めました。このように、世界の国々で商売を行い、取引を正確に帳簿に記録し、儲けの具合や回収した財物などを確認しました。また、その国々の文化や政治・経済、思想までわかるようになり、会計が世界を鏡の如く映し出したのです。こうして、イタリアのみならずイギリス、スペイン、ポルトガルなど西欧の目覚ましい活躍で世界の舞台へと躍進が始まったのです。簿記の発明による会計制度の発達は、まさに経済発展の基礎となりました。

THE BEGINNER'S GUIDE TO FINANCIAL STATEMENT

Part 2

貸借対照表(B/S)から何がわかるか

貸借対照表の仕組み

お金はどこから入って何に変化するか

商売を始めるには一定の元金（資本金）が必要です。自己資金が足りなければ銀行などから借り入れしなければなりません。こうして集めた資金を元手に商売の準備を始めます。株式会社として経営していくには、資金の準備と公証人の定款認証や法務局への登記申請など一定の手続きが必要です。設立が認められれば銀行口座を開設し、いよいよ商売の開始です。会社運営する場所の確保や必要な備品などの購入、社員の雇用、取扱商品の仕入れ、お客様への販売など商取引が行われ、さまざまに資金が運用されます。

いわゆる**資金の調達と運用**です。これらの取引を簿記により借方・貸方に仕訳整理していきます（p.18参照）。貸方の資金の調達源泉は、事業の元手の資本金や内部留保した利益を含めた**純資産**（**自己資本**ともいう）と他人からの資金調達の**負債**（**他人資本**ともいう）から構成されます。その調達した資金の運用結果によって、借方はさまざまな**資産**となって変化し、これをまとめたのが貸借対照表です。

貸借のバランス

調達した資金で運用された取引を複式簿記の原理によって左右に整理していくので、必ず左右（借方・貸方）は一致します。このように資金の調達と運用は必ず一致するので、貸借対照表は、**Balance Sheet（バランスシート）**略して**B/S**といわれます（p.10参照）。

お金の変化

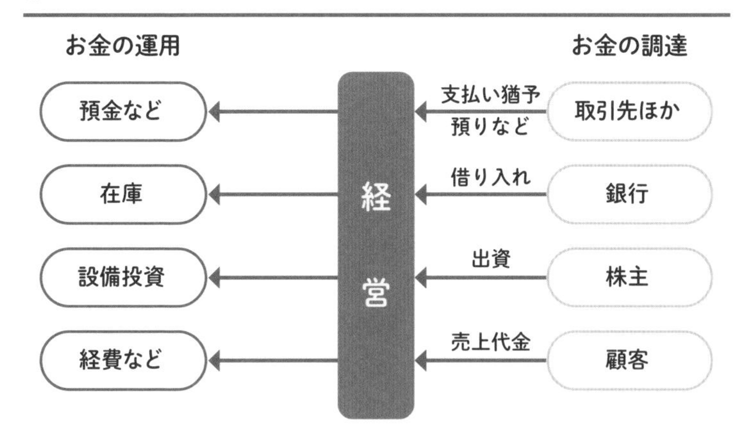

貸借対照表の形にまとめる

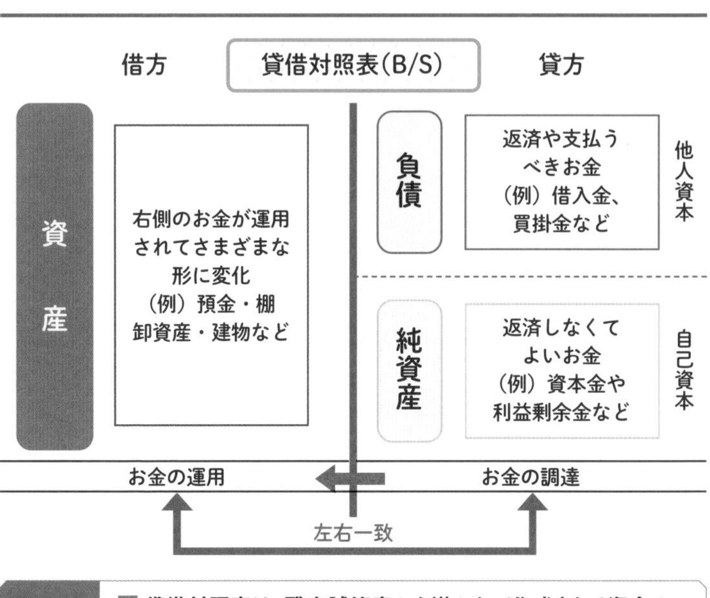

まとめ

- □ 貸借対照表は、残高試算表から導かれて作成される資金の運用結果の資産（借方:左側）と資金の調達の負債・純資産（貸方:右側）の一覧表である

貸借対照表の意味とルール

▶ 貸借対照表の意味とルール

貸借対照表（B/S：Balance Sheet）は、資金の運用結果の資産と資金の調達の負債・純資産を一覧にし、**一定時点の財政状態を表したもの**です。表示と計上に関するルールは次の通りです。

【貸借対照表　表示ルール】

貸借対照表の表示方法は「勘定式」と呼ばれるもので、資金の調達を右側に、資金の運用を左側に一覧に書かれます。資金調達のうち**負債**は右側の上段に、また**純資産**は右側の下段に分類表示されます。なお、負債の中で1年以内に返済すべきものは**流動負債**として上側に、1年を超えて返済すべきものは**固定負債**として下側に表示します。このように1年を基準に分けるので、**1年基準**といいます。資金運用は、お金の出入りが頻繁な資産（預金、売掛金、在庫など）が**流動資産**として左側の上段に、また備品や建物など1年以上長期にわたって運用される固定資金が**固定資産**として左側の下段に分類表示されます。なお、1年を超えて効果がある**繰延資産**は固定資産の下に表示されます。資金化の高い（速い）ものから低い（遅い）ものへと順に配列表示する方法が原則で、これを**流動性配列法**といいます（ただし、業種によって異なる）。

【貸借対照表　計上ルール】

貸借対照表に計上すべき金額は原則取得したときの金額です。これを**取得原価主義**といいます。しかし、棚卸資産や有価証券の資産は、時価が取得原価より下回った場合、評価損を計上して、時価による資産計上が認められます（これを**低価法**という）。

貸借対照表の構造とルール

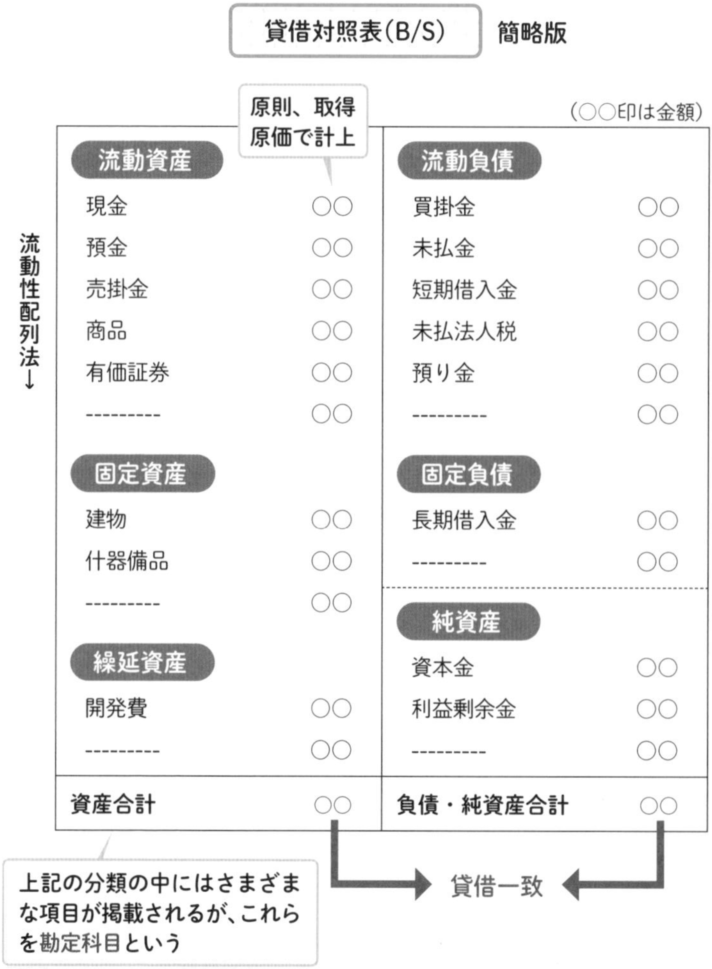

貸借対照表(B/S) 簡略版

(○○印は金額)

流動性配列法↓

原則、取得原価で計上

資産の部		負債・純資産の部	
流動資産		**流動負債**	
現金	○○	買掛金	○○
預金	○○	未払金	○○
売掛金	○○	短期借入金	○○
商品	○○	未払法人税	○○
有価証券	○○	預り金	○○
---------	○○	---------	○○
固定資産		**固定負債**	
建物	○○	長期借入金	○○
什器備品	○○	---------	○○
---------	○○	**純資産**	
繰延資産		資本金	○○
開発費	○○	利益剰余金	○○
---------	○○	---------	○○
資産合計	○○	負債・純資産合計	○○

資産合計と負債・純資産合計 → 貸借一致

上記の分類の中にはさまざまな項目が掲載されるが、これらを勘定科目という

企業取引の内容項目には膨大な種類があるがこれをすべて表示することはできないため、一定のルールに従って種類ごとにまとめる

まとめ □ 貸借対照表の基本構造と全体構造を覚えることが大切

流動資産、固定資産とは何か

▶流動的かどうか

資産・負債の種類はさまざまありますが、貸借対照表は現金から始まり、換金化（流動化）の高いものから並べて表示され、**1年基準**によって、流動性と固定性（非流動）の性質に分類されます。

1年以内に現金化される資産や、1年以内に支払う義務のある負債は、それぞれ「流動資産」「流動負債」として表示されます。一方、1年以内に現金化されず、また1年を超えて使用される資産は「固定資産」として表示され、1年を超えて支払う義務のある負債は「固定負債」として表示されます。なお、通常の営業活動から生じる売掛金や棚卸資産、買掛金はたとえ1年を超えるものであっても流動資産や流動負債に分類表示します。これを**営業循環基準**といいます。

流動資産とは、現金預金をはじめ営業取引によって生じた受取手形・売掛金や棚卸資産、その他短期貸付金や未収金など1年以内に現金化される資産をいいます。一方、**固定資産**とは、販売することを目的としない資産で、1年を超える長期間にわたって使用される資産をいいます。さらに固定資産は物的な「有形固定資産」と非物的な「無形固定資産」およびこれら以外の「投資その他の資産」に分類されます。

流動資産と固定資産は基本的に「1年」という時間によって区分されますので、経営を考える場合、**現金化までの時間**のスピードを考慮することが大切です。ある製品を作って販売し、現金回収するのに速ければ速いほど健全であり、経営上（資金上）有利となります。スピード重視の現代において、換金化（現金化）までの時間を知ることが大切です。

流動資産の中で現金化のスピードが速いものとそうでないもの

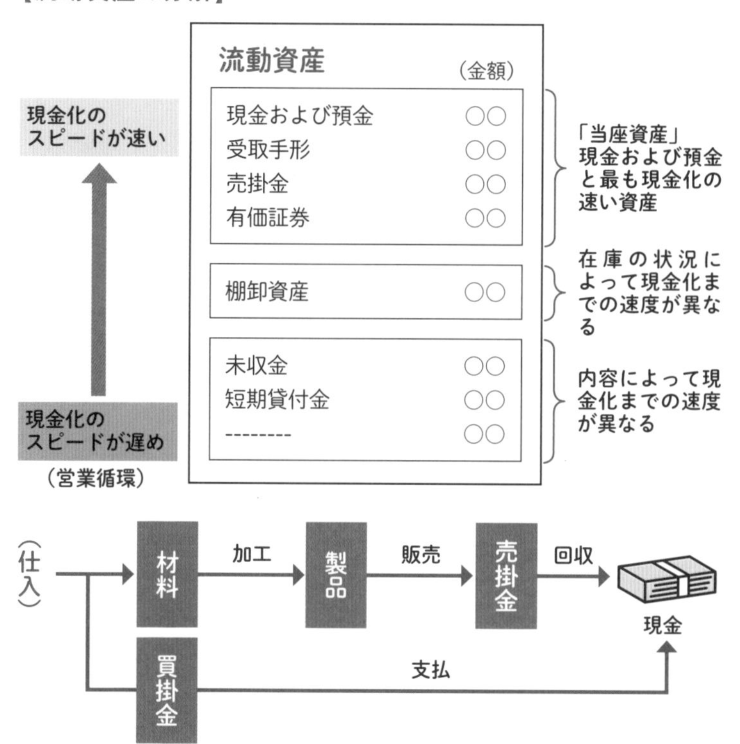

【固定資産の内容】

有形固定資産	長期にわたって使用する有形の資産
無形固定資産	目には見えづらい無形の使用資産
投資その他の資産	長期の投資およびその他の長期資産

※上記固定資産は「非流動化資産」で、通常は短期に現金にならないもの

まとめ

- □ 流動資産とは1年以内に現金化される資産、固定資産とは1年以内に現金化されず、また1年を超えて使用される資産をいう
- □ 流動資産と固定資産のバランスと現金化の速さが経営の勝負

減価償却の意味と固定資産との関係

▶固定資産の特徴と性質

固定資産は「有形固定資産」「無形固定資産」「投資その他の資産」の3つに分類します。有形固定資産と無形固定資産の違いは対象が有形か無形かの点であり、長期にわたって使用される点ではその性質は同じです。また「土地」を除いた有形固定資産は耐用年数に応じて償却されていくものです。投資その他の資産は、上記2つ以外で長期にわたって運用されているものです。土地など減価しないものは減価償却せず、原則取得原価のまま貸借対照表に計上されます。それ以外の有形固定資産や無形固定資産は減価償却の対象となり、通常**減価償却資産**といわれています。

▶減価償却の基本

時の経過とともに物理的・機能的・経済的に価値が減少するものは、一定の耐用年数に応じて各事業年度の費用に**減価償却費**として計上します。この取得原価を長期にわたって費用配分する方法が**減価償却**といわれるものです。減価償却の計算を行うには、その対象資産の「取得原価」に対して「耐用年数」と「償却方法」を選択します。耐用年数は種類ごとに細かく法定（税法）されているので、その期間内で償却していきます。償却方法には定額法と定率法などがあります。**定額法**は毎年同一金額を費用計上し、**定率法**は早めに償却を多く行い、徐々に少なくなっていく方法です。なお「減価償却費」は製造にかかわる費用は製造原価に、その他は販売費及び一般管理費に計上されます。

▶ 固定資産の中で減価償却の対象となるものとならないもの

【固定資産の分解】

固定資産	（金額）	減価償却対象資産
有形固定資産	○○	（使用資産）
建物	○○	○
機械装置	○○	○
車輌運搬具　ほか	○○	○
土地	○○	×
無形固定資産	○○	（使用資産）
ソフトウェア	○○	○
特許権　ほか	○○	○
投資その他の資産	○○	（投資資産）
投資有価証券	○○	×
--------	○○	

▶ 減価償却の基本とイメージ

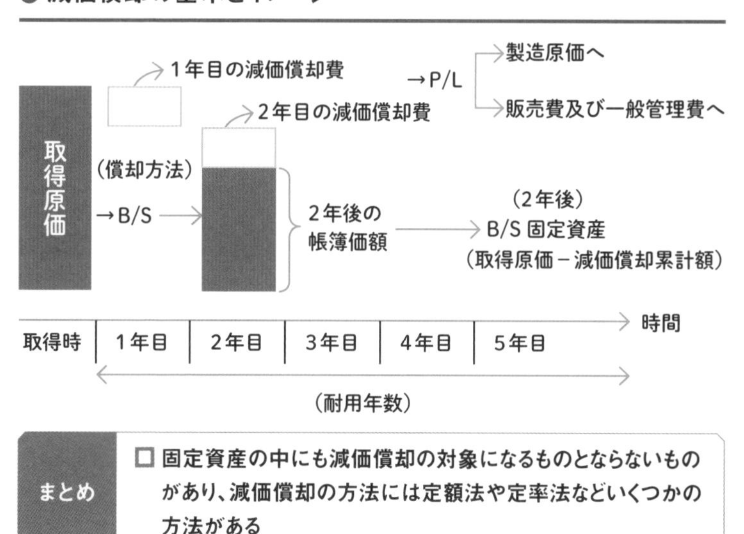

まとめ

□ 固定資産の中にも減価償却の対象になるものとならないものがあり、減価償却の方法には定額法や定率法などいくつかの方法がある

換金価値のない繰延資産

繰延資産の特徴と性質

固定資産を除いて、当期に発生した費用でも当期の収益に対応せず、将来の収益獲得に貢献するような支出が行われた場合、その支出は経過的に資産として繰り延べ、効果の及ぶ将来の期間へ費用配分します。これは期間損益計算を適正に行うための「費用収益対応の原則」に基づく会計処理です。

繰延資産は、貸借対照表に資産計上されても、有形固定資産のように**換金価値はない**のが特徴です。

繰延資産に計上するには、次の3つの条件が必要です。

①代価の**支払いの完了または支払い義務が確定**していること

②①に対する**役務の提供を受けている**こと

③①の**効果が将来にわたって発現すると期待される**こと

なお、この条件に当てはまれば**繰延資産に計上することができる**のであって、あくまで原則は支出時の費用です。

繰延資産の項目

会社法で、繰延資産に計上が認められている項目には、株式交付費、社債発行費、創立費、開業費、開発費の5つがあります。

また**法人税法**では、以上の5項目のほかに、公共的施設等の負担金、資産を賃借するための権利金等、役務の提供を受けるための権利金等、広告宣伝用繰延資産等が含まれます。償却期間は項目ごとに定められており、支出金額が20万円未満はその年度の費用（損金算入）となり、20万円以上は繰延資産扱いとなります。

繰延資産の期間損益計算

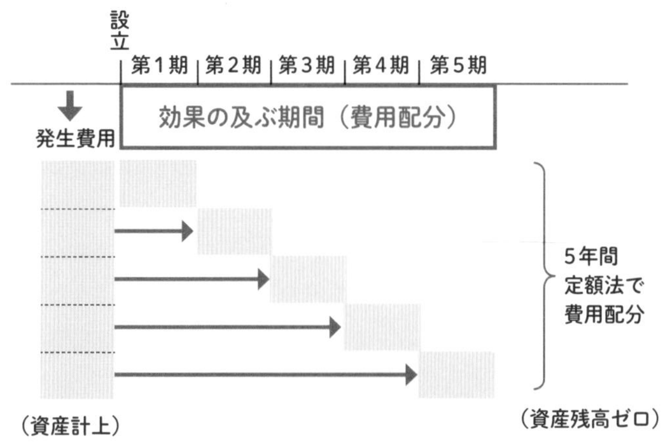

会社法上の繰延資産項目の取り扱い（繰越資産計上したもの）

項目	意義	償却期間	償却方法	費用処理区分
創立費	会社設立までにかかった費用	5年以内	定額法	営業外費用
開業費	会社設立後開業までにかかった費用	5年以内	定額法	営業外費用または販管費
開発費	新技術の採用、資源の開発などでかかった費用	5年以内その他合理的方法	定額法や合理的方法	販管費または売上原価
株式交付費	会社の設立後の新株発行（増資）にかかった費用	3年以内	定額法	営業外費用
社債発行費	社債募集にかかった費用	社債償還期間	利息法または定額法	営業外費用

まとめ

- □ 換金価値がなく支出された費用も、その効果が将来にわたって発現する場合には資産に計上することができる

負債(他人資本)の活用

負債の特徴と性質

負債は**他人資本**といわれるように、他人からの資金の調達を意味し、その性質は「法律上の債務」と「会計上の債務」の2つに分類されます。**法律上の債務**には、支払うべき債務が確定している買掛金、支払手形、未払金や借入金、社債などがあり、**会計上の債務**には、翌年度に収益を計上するもので、すでに入金になった前受金や将来の支払いに備えて予め計上する引当金があります。また、利子の伴う借入金や社債、リース債務などの**有利子債務**と利子の伴わない**無利子債務**とに分類されます。

買掛金や支払手形などは「営業債務」として、売掛金や受取手形などの「営業債権」と対置され管理されます。借入金や社債などの有利子債務は、元本、利率、返済期間、連帯保証、担保などと合わせて管理されます。とくに借入金は、一時的な運転資金と長期運用の設備投資などに分類し、資金管理されます。

負債の分類と活用

負債も資産と同じように、「1年基準」にしたがって**流動負債**と**固定負債**に分類されます。流動負債には、営業債務の買掛金や支払手形、その他未払金など1年以内に返済や支払いが行われる短期借入金などが含まれ、固定負債には長期借入金や社債など長期にわたって返済や支払いが生じる債務が含まれます。したがって流動負債は運転資金に、また固定負債は長期に使用される固定資産に使われるよう資金管理することが望ましく安全です。

借入金など有利子債務の活用と管理

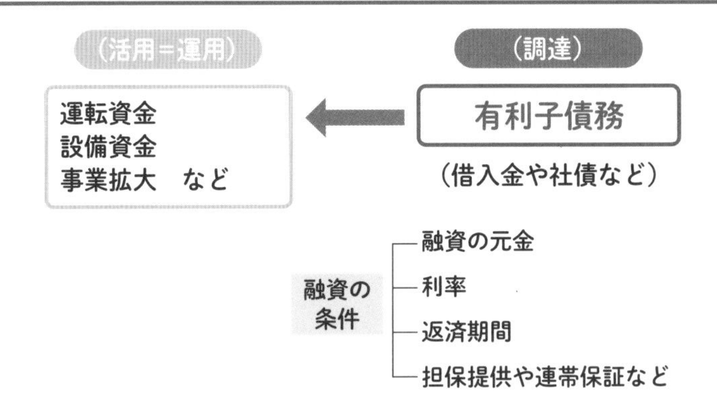

銀行借入には４つの方法がある
「手形借入」「証書借入」「当座借越」「手形割引」

負債の性質と資産への活用（運用）

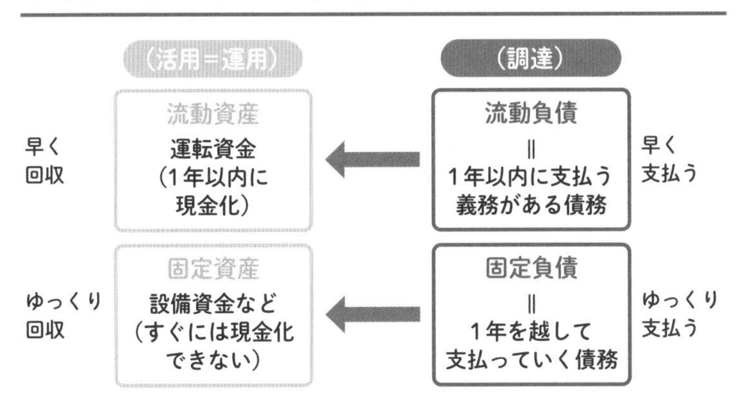

まとめ

- ☐ 運転資金と設備資金、無利子債務と有利子債務、他人資本と自己資本のバランスが大切

引当金とは何か

引当金の意味と特徴

引当金は、①将来特定の費用や損失が発生することが明らかで、②その原因が当期にすでに発生しており、③その金額を合理的に見積もることができるものについて、当期に費用計上して設定されます。これは企業会計が期間損益計算を重視するため、実際に支出する年度とは別に、**ある特定の事象が発生した年度にあらかじめ合理的な金額を見積もって費用に充てる会計処理**です。なお、特定の事象の支出が行われた際にはその引当金は取り崩しされます。

引当金の性格と種類

引当金には、「評価性引当金」と「負債性引当金」の2種類があります。

評価性引当金とは、受取手形や売掛金などの債権に対して、貸倒損失の発生可能性を見積もって費用計上するもので「貸倒引当金」として計上されます。これは貸倒損失に備えるための債権の評価性引当金であるため、負債には計上せず、流動資産（長期の債権には固定資産）にマイナス項目として計上表示されます。

負債性引当金とは、将来に支出すべき特定の費用や損失について、当期に帰属する合理的な金額を費用として計上し引当金とするものです。代表的な引当金として、流動負債に計上される「賞与引当金」、固定負債に計上される「退職給付引当金」などがあります。これらは支出される際に取り崩しされます。

評価性引当金

貸倒引当金の例

取得価額（100万円）

受取手形・売掛金・未収金・貸付金などの債権 → （回収可能性の見積り） 回収可能性あり（95万円）

（貸倒引当金として控除） 回収可能性は低い（5万円）

↓

貸倒引当金5万円の計上

- 流動資産の債権に対しては、B/Sの流動資産の最後に△表示して計上
- 固定資産の債権に対しては、B/Sの固定資産（投資その他の資産）の最後に△表示して計上

（注）費用または損失は、P/L販売費・一般管理費に計上

負債性引当金

退職給付引当金の例

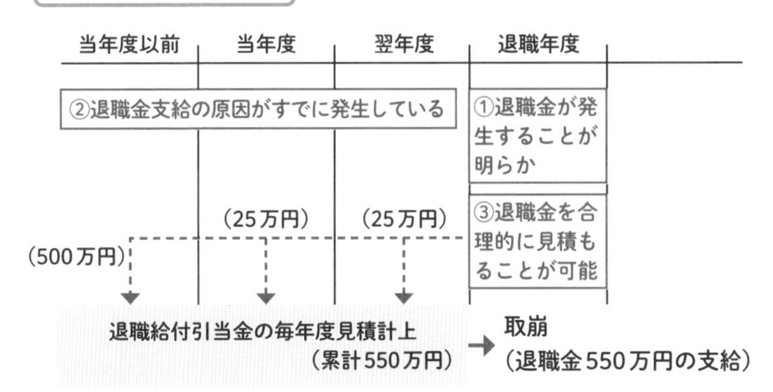

※上記はある特定の人の退職給付引当金の例であるが、各社員の対象者ごとに退職年度や退職金の見積りに基づいて処理する

まとめ

- □ 引当金は発生主義と保守主義（安全性）の原則を考慮したもので、評価性引当金と負債性引当金の2種類がある

資本金と純資産(自己資本)

▶株主資本と純資産の違い

資本金は事業の元手です。株主が出資した元手(払込資本)によって事業が行われ、それで得た利益の蓄積(留保利益)がさらに事業の拡大へとつながっていきます。この払込資本(資本金と資本剰余金)と留保利益(利益剰余金)、さらには自己株式(資本の払い戻しの考えでマイナス表示計上など)を含めて**株主資本**といいます。**純資産**は資産から負債を差し引いた差額概念です(なお、本書では、**自己資本**と同じ扱いとする)。通常、純資産と株主資本は一致しますが、負債にも資本にも該当しない項目があり、これを純資産の部へ計上します。これには有価証券等の取得原価と期末時点の時価との差額の「評価・換算差額等」やあらかじめ定められた価格で株式を取得できる権利の「新株予約権」などがあります。

▶資本準備金と利益準備金

株式会社は、株主から出資を受けますが、この払込資本を全額資本金としなくてもかまいません。出資総額の2分の1以上を**資本金**にすれば、残余は**資本準備金**として積み立てられます。会社の業績が悪化した場合、資本準備金を取り崩して欠損金への対応が図られ、資本金を減らさずにすむことができます。また、会社が稼いだ税引後の純利益は、株主へ配当金が支払われ、残余は社内に留保されます。その際債権者保護の観点から、配当額の10分の1以上を資本準備金または**利益準備金**として、資本準備金と合わせて資本金の4分の1に達するまで積み立てる必要があります。

純資産の内訳

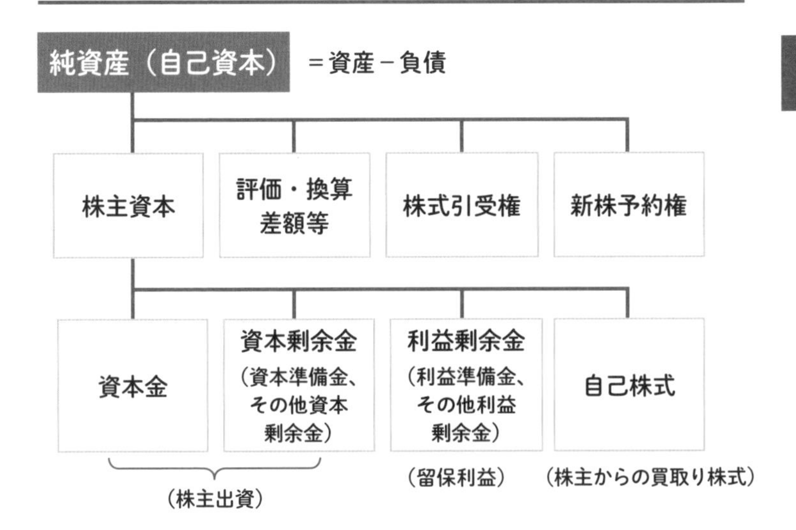

資本と利益の流れ

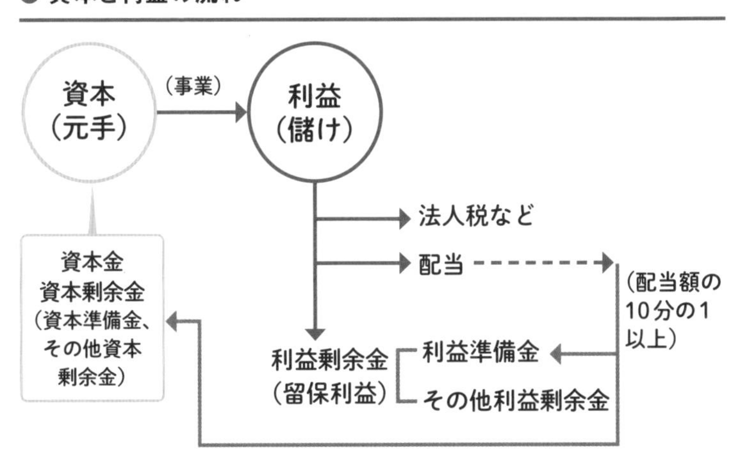

まとめ

☐ 資本金は事業の元手。純資産（自己資本）の中には資本金や資本準備金以外に利益準備金など留保利益項目がある

貸借対照表と株主資本等変動計算書との関連

株主資本等変動計算書の意味と表示方法

株主資本等変動計算書は、貸借対照表（B/S）の純資産の部の1事業年度における変動額のうち、主として株主資本の項目について作成されるものです。これは**株主資本を中心に、前期末の純資産残高から当期末残高にいたる増減額を計上表示したもの**です。したがって株主資本等変動計算書は、貸借対照表純資産の部の1事業年度の変動明細表のようなものです。

これまでは決算期後に株主総会において、配当等の利益処分が行われ、利益処分計算書が作成開示されてきました。しかし、自己株式の取得が純資産からの控除項目とされ、また剰余金の配当が株主総会や取締役会でいつでもできるようになるなど株主資本の計数をいつでも変動させることが可能になり、株主資本項目の連続性を明らかにするために、平成17年の会社法改正でこの「株主資本等変動計算書」に変更となりました。

株主資本等変動計算書は、「株主資本」「評価・換算差額等」および「株式引受権」「新株予約権」に区分して変動額を表示します。

株主資本は、「資本金」「資本剰余金」「利益剰余金」「自己株式」などに分類されます。さらに**資本剰余金**は、「資本準備金」と「その他資本剰余金」に、**利益剰余金**は、「利益準備金」と「その他利益剰余金」に分類されます。これらによって「純資産」の期首から期末までの変動額の流れがわかります。

貸借対照表と株主資本等変動計算書の関連性

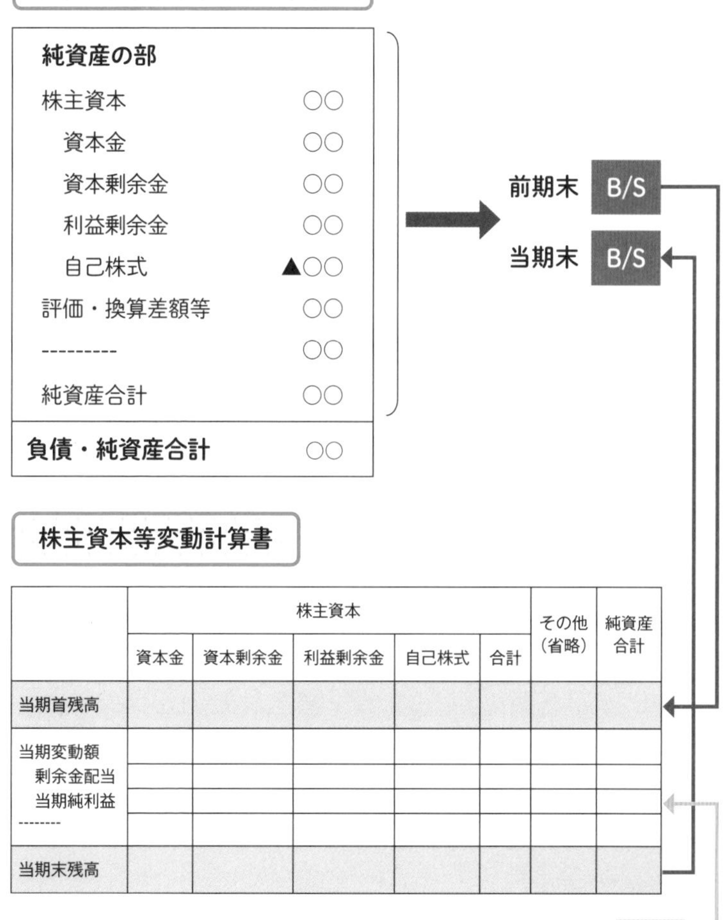

	株主資本					その他（省略）	純資産合計
	資本金	資本剰余金	利益剰余金	自己株式	合計		
当期首残高							
当期変動額							
剰余金配当							
当期純利益							

当期末残高							

まとめ

☐ 株主資本等変動計算書は、貸借対照表純資産の部の1事業年度の変動明細表といえる

貸借対照表を比較してわかる強みと弱み

▶ 貸借対照表の全体像をイメージでつかむ

貸借対照表（B/S）は、**一定時点の財政状態を表したもの**ですが、この財政状態の個々の数字を追う前に、貸借対照表の全体を簡単な箱図にイメージすることが大事です。まず理想的な貸借対照表をイメージします。右図のように1つの箱を用意して、それを真ん中から縦にちょうど半分にカットします。すると右側の資金源泉と左側の資金運用の両側に分かれます。そのうえで、右側の資金源泉のうち、他人資本（負債）と自己資本（純資産）に理想の割合で上下に分け、横にカットします。さらに負債を流動負債と固定負債に理想の割合で上下に分け、横にカットします。また左側の資金運用の資産を流動資産と固定資産に理想の割合で上下に分け横にカットします。その際、固定資産は自己資本（純資産）以内の割合にします。

▶ 貸借対照表の強み弱みはバランス比較でわかる

理想的な貸借対照表のイメージができたならば、それと**現状の貸借対照表図と比較**します。理想の貸借対照表と現状の貸借対照表を比較して、どの部分に差があるかを確認します。資金の源泉の右側の他人資本と自己資本のバランスが理想に近いか、流動資産と固定資産のバランスはどうか、流動資産と流動負債の運転資金のバランスはどうか、固定資産と自己資本（純資産）とのバランスはどうか、などの**バランス**を見ていきます。バランスのとれている部分が「強み」であり、アンバランスの部分が「弱み」です。財政状態のバランスと強み・弱みを把握します。

▶ 貸借対照表のイメージによる比較例

理想的な貸借対照表イメージ

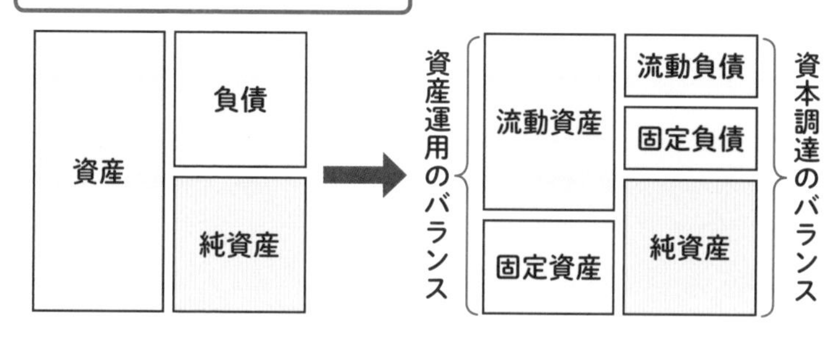

現状の貸借対照表イメージ

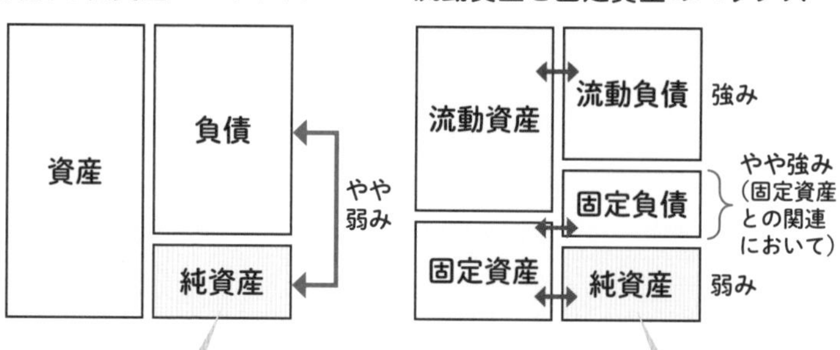

返済不要の純資産が多ければ健全で強みだが、少ないと危険で弱みとなる

1年以内返済の流動負債を流動資産が上回っており健全で強みだが、長く固定資金となる固定資産が純資産で賄われておらず弱みである。ただ、固定負債でカバーしておりバランスをとっている

まとめ

☐ 貸借対照表を箱図でイメージできるようにし、理想の貸借対照表と現実の貸借対照表を比較して、バランスがとれているかで「強み」「弱み」を判断する

健康な貸借対照表と不健康な貸借対照表とは

▶資金源泉の検査と流動資金と固定資金の運用

人間ドックなどの健康診断では必ず血液検査が行われます。血液検査によってさまざまな健康状態がわかり、病気が発見できます。その人間の血液に当たるのが企業の「お金（資金）」です。資金不足が続き支払い不能となれば倒産です。そうなる前に会社の健康診断を行い、健康な体、すなわち健康な貸借対照表を創り維持しなければなりません。健康な体を維持し会社を存続していくためには、絶対に**資金不足にならない**こと、そのために**利益を計上**していくことが事業経営の基本中の基本です。

一旦資金不足に陥ると他人から借金せざるを得なくなり、ますます負債が増え、後々苦労します。また売上が増え利益が上がる状態になっても仕入れ代金などの運転資金が増え、一時的に資金不足になります。そうなる前に常に一定額以上（約月商の3か月分）の資金を保有していることが大事です。まずは血液にあたる資金を検査しましょう。

企業は自己資本、他人資本の資金を調達して事業を行っており、他人資本が多ければ返済に資金が流れ、業績が下がってくると資金繰りが苦しくなります。**自己資本の多寡**が重要な健康診断の1つです。

流動資金が潤沢にあれば資金繰りが楽ですが、固定資金に多くを使い、また借入金などで多額の固定資産を賄った場合などは資金繰りが苦しくなり、資金運用の良し悪しが問われます。

▶ 健康な貸借対照表のイメージ

健康なB/S

❶資産＞負債（資産超過）
❷流動資産＞流動負債
❸固定資産＜純資産　または固定資産＜純資産＋固定負債

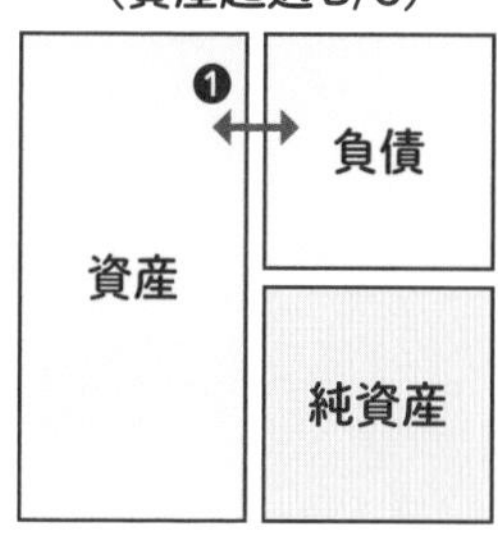

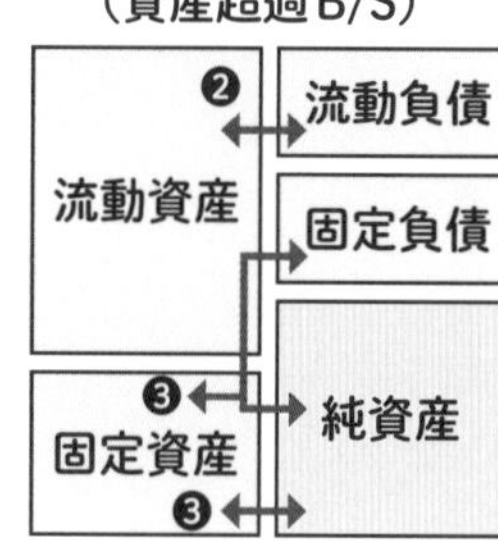

▶ 不健康な貸借対照表のイメージ

不健康なB/S

❶資産＜負債（債務超過）
❷流動資産＜流動負債
❸固定資産＞純資産　および固定資産＞純資産＋固定負債

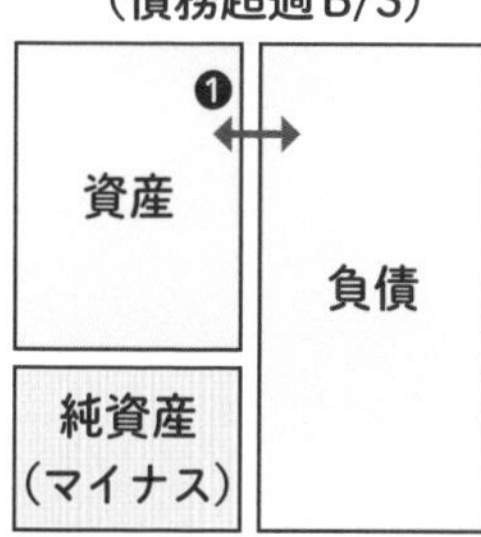

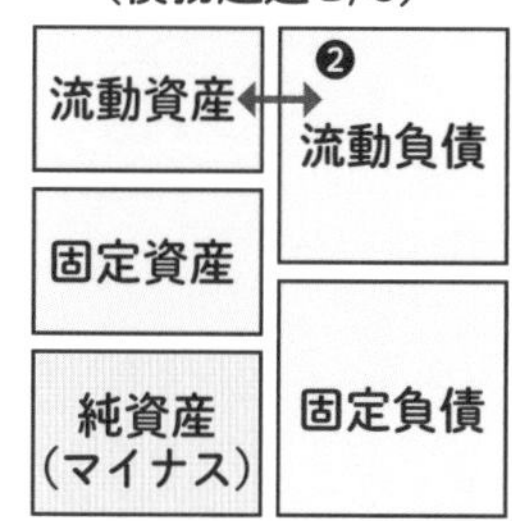

まとめ

☐ 資金不足にならないために、会社の資金管理と損益管理など診断を定期的に行うことが何より大事

貸借対照表からリスクを見つける

さまざまなリスク資産項目と負債項目

貸借対照表（B/S）の［資産項目］には、資産価値のないものや価値が低下しているものなどのリスク資産が見られ、その発見が重要です。代表的なものは次の通りです。

不良債権：得意先の倒産などによる回収が不能となった売掛金、得意先とトラブルになって長期にわたって回収できない売掛金、不渡り手形、貸付金など（貸倒引当金や貸倒損失の対象）

不良在庫：長期に滞留している在庫、品質低下や物理的棄損した在庫、あるいは販売価格の著しい低下による在庫など（評価損や廃棄処分の対象）

未稼働固定資産：いつ稼働するかわからない休止中の固定資産、収益性が著しく低下して投資額の回収が見込めない固定資産（減損の対象）

有価証券の時価の低下：所有している株式などの有価証券の時価が著しく下落し回復の見込みのない状態の有価証券など（評価損の対象）

繰延資産：繰延対象となりうる開発費などを償却せず計上したままの状態（早期に償却すべき対象）

［負債項目］については、次のようなリスクがあり得ます。

簿外負債：仕入計上漏れや未払金の計上漏れ、リース債務の未計上、退職給付引当金などの負債性引当金の未計上など

連帯保証等の注記事項：借入に伴う連帯保証や、係争事件にかかわる損害賠償義務など注記事項に要注意（B/Sには計上されない）

▶ 貸借対照表リスク一覧

（主なリスク）	資産の部	負債の部	（主なリスク）
	流動資産	流動負債	
現金と帳簿不一致←	現金預金	買掛金	→仕入計上漏れ
不渡り←	受取手形	未払金	→未払金・リース未計上
回収不能←	売掛金	短期借入金	→金融支援停止／連帯保証
時価下落←	有価証券	未払法人税等	→滞納、税務調査否認
滞留・不良在庫←	棚卸資産	その他	→損害賠償義務
回収不能←	短期貸付金		
引当不足←	貸倒引当金	固定負債	
	固定資産	長期借入金	→金融支援停止／連帯保証
	有形固定資産	退職給付引当金	→引当不足
遊休・修繕←	建物		
未稼働、生産低下←	機械装置ほか	**純資産の部**	
時価下落←	土地	株主資本	→経営者・株主の死亡
	無形固定資産	資本金	
資産価値喪失←	特許権ほか	利益剰余金	→これまでの留保利益過小
	投資その他の資産	その他	
時価下落や回収不能←	投資有価証券ほか		
	繰延資産		
未償却←	開発費ほか		

まとめ

☐ 企業リスクはいたるところに存在するが、まず貸借対照表からリスクを発見することを心掛ける。そこに問題が隠されている

Column

貸借対照表の危険な勘定科目Kって何?

貸借対照表の危険な勘定科目Kは次の6つです。

①**貸付金のK**……貸付は基本的に行ってはいけません。取引先など第三者に対する貸付は、金融機関から見放されたことにより依頼されるので、回収リスク(危険)は大きく、余計な時間やコストがかかるものです。また社長自身に対しての貸付は、貸付金利ばかり膨らんで(未収利息)、税金の対象にもなる(無利息の場合税務否認される)のでやめましょう。

②**仮払金のK**……仮払金は交通費などの未精算など一時的に処理する勘定科目です。これが長期間残っている場合や多額の場合などは、粉飾や不明金といわれても仕方ありません。

③**関係会社株式のK**……グループ会社で債務超過や事実上休業しているような状態なら評価減を考えなければなりません。

④**繰延資産のK**……創立費、開業費、開発費など数年にわたってその効果が及ぶものについては、繰延資産として効果の及ぶ期間内での償却が認められますが、その根拠が乏しいもの、事業効果のないものまで費用を繰り延べてはいけません。

⑤**貸倒のK**……取引先の倒産などにより回収不能売掛金がある場合、早期に貸倒処理するべきです。回収見込みのない債権をそのままにしておくのは粉飾とみなされます。少額でも回収不能であれば、相当額の貸倒引当金を設定する必要があります。

⑥**借入金のK**……過大な借入金は将来の返済に困難をきたすことがあり禁物です。資金繰りが厳しく、社長個人から借りる場合には、資本を充実すべく増資も考えたいものです。すでにある社長からの借入金は、債権の現物出資も可能です。

Part 3

損益計算書(P/L)から何がわかるか

損益計算書の仕組み

▶継続的な資金の源泉は利益(儲け)

「売った！」「買った！」「いくら儲けた！」これが商売です。この儲けの経過と結果を表すのが損益計算書（P/L）です。損益計算書は、簿記の仕組みからいえば、残高試算表から収益と費用を抜き取ったものをまとめたものです。この様式は「勘定式」と呼ばれるものですが、実務的にはこれをわかりやすく「報告式」にまとめられます。

損益の基本計算式は、**収益－費用＝利益**です。収益が費用を下回ってしまえば損失が生じ、収益－費用＝損失となります。

この利益を算出する方法を「損益法」といいます。この損益法以外に利益を算出する方法として、期末の純資産から期首の純資産を差し引いて行う方法もありますが、現代では一般的ではありません。

収益をより多く上げ、費用を極力抑えられれば、その会社の利益は極大となり、資金の調達源泉に大きく貢献します。「入るを量りて、出ずるを制す」ことが事業経営の大原則です。

企業会計はゴーイングコンサーン（継続企業）を前提にしているので、一定期間（会計期間）ごとに区切って継続して損益計算を行うことになっています。これが**期間損益計算**と呼ばれるものです。この期間損益計算を正しく行うために、「発生主義」「実現主義」および「費用収益対応の原則」などの会計処理のルールが義務付けられています（p.20参照）。

この損益の基本計算式を置き換えると、**費用＋利益＝収益**となり、勘定式の損益計算書のスタイルとなります。

費用＋利益＝収益の構造と仕組みは右図の通りです。

▶ 利益(儲け)の構造と仕組み

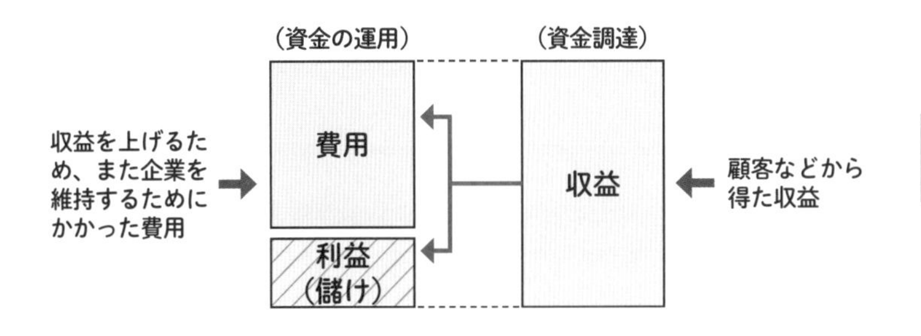

▶ 損益計算書は残高試算表(複式簿記)から作られる

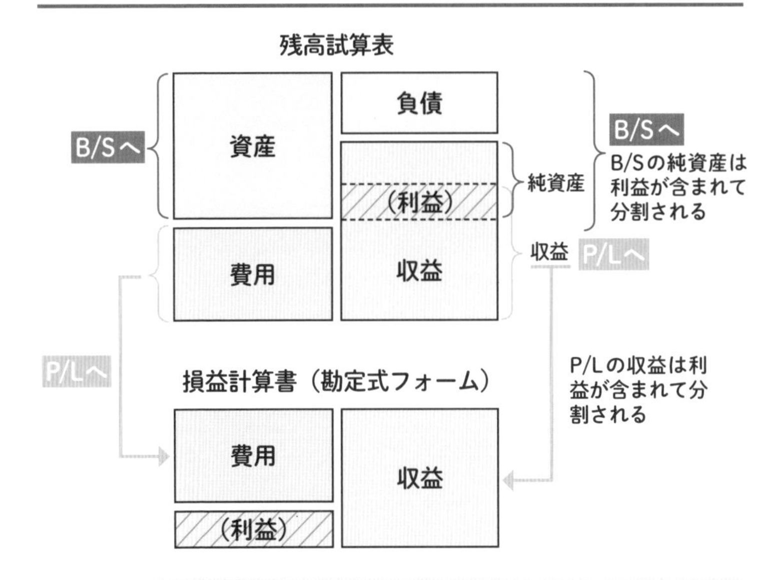

実務上、損益計算書は報告式で作成される(p.61参照)

まとめ

- □ 損益の基本計算式は収益ー費用=利益
- □ 損益計算書の簿記のスタイルは費用+利益=収益

損益計算書の意味とルール

▶損益計算書は業績を表す（パワーの表示）

損益計算書（P/L：Profit and Loss statement）は、その事業年度でどれだけの**儲け**を上げたかの**業績（経営成績）**を表したものです。損益計算書によって、売上高からさまざまな費用を差し引いた利益の状況、いわゆる企業のパワー（収益力）を見ることができます。つまりその会社の能力や企業力がわかります。

なおP/LのPをPower、LをLow costとしてイメージすると特徴がつかみやすくなります（p.70参照）。

▶損益計算書の基本ルール

一事業年度内の費用と収益（いわゆる期間損益）を正しく把握するために、いくつかの基本ルールがあります。

発生主義：費用や収益を認識する場合、現金の収支に関係なく、その期間に経済価値が増減し発生したものを認識する。商品を仕入れ、顧客に納品したが入金は来期の場合、仕入、売上の損益項目は発生した当期に計上する（なお、売上はより確実に「実現主義」による）

実現主義：収益（とくに売上）では、顧客に商品を納品し検収したときなど、約束した財やサービスの履行義務が充足されたときに収益を認識する。これにより客観性・確実性を確保できる。ほかにも特殊な売上認識基準がある

費用収益対応の原則：期間損益を正しく把握するため、同一期間に発生した費用と収益を個別的または期間的に因果対応させるもの。費用と収益の対応がズレないようにする

費用収益の基本ルール

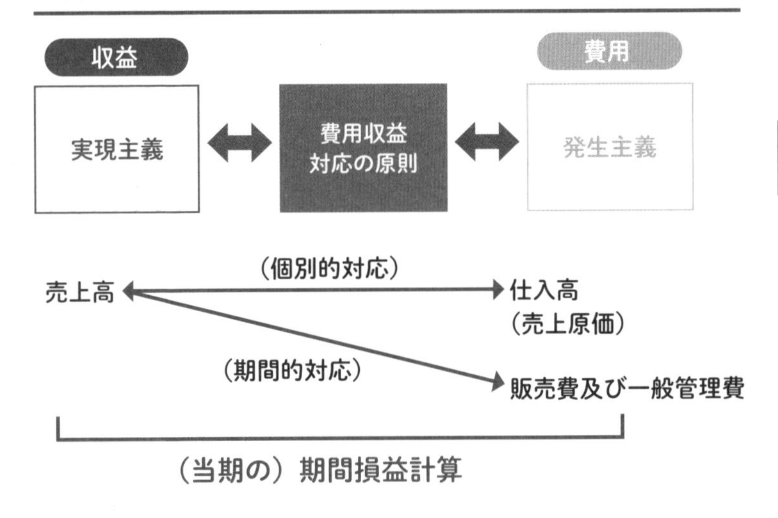

製品の製造から販売・回収までの費用収益認識

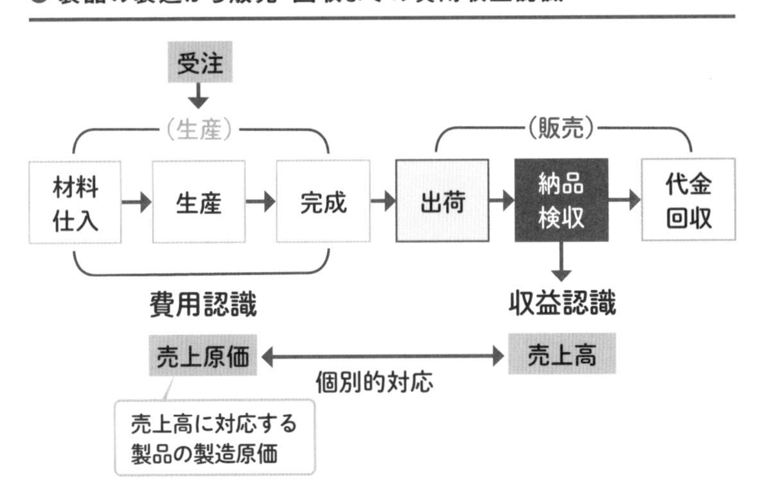

まとめ

□ 損益計算書はその年度の経営者の経営成績といえる。その経営成績を計るには、発生主義、実現主義、費用収益対応の原則など一定のルールがある

5つの利益の意味

▶利益には5段階ある

利益は収益から費用を差し引いて計算されますが、収益も費用もさまざまな性質や活動があり、その性質の分類や活動内容に応じて、損益計算書を次の**5つの利益**に段階的に表示します。これによって経営成績の内容を明瞭に読み取ることができます。

❶**売上総利益**：収益の基本であり最大の「売上高」から、商品の仕入高や製品の製造原価などの「売上原価」を差し引いたもの。「粗利益（通称アラリ）」と呼ばれ「製品や商品の収益力」を意味する

❷**営業利益**：「売上総利益」から営業活動や管理活動にかかった費用の「販売費及び一般管理費」を差し引いたもの。本業で儲けた利益なので本業の稼ぎ具合がわかり、「本業の収益力」を意味する

❸**経常利益**：「営業利益」に本業以外で発生した受取利息や雑収入などの「営業外収益」を加え、支払利息や雑支出などの「営業外費用」を差し引いたもので、当該期間の経常的な利益。これは「経常的な総合収益力」を意味する

❹**税引前当期純利益**：「経常利益」に臨時的に発生した保険収入や損害賠償金収入などの「特別利益」を加え、災害損失などの「特別損失」を差し引いて計算したもので「税金を考慮する前の最終利益」を意味する

❺**当期純利益**：当期純利益は税引前当期純利益から法人税や住民税、事業税を差し引いたもので、当該期間の「最終の利益」を意味する

▶ 損益計算書によって5段階の成果を見ることができる

損益計算書 簡略版

営業損益計算	売上高	○○	→本業で獲得した収益
	売上原価	○○	→売上高に直接対応する原価
	❶売上総利益	○○	→(製品や商品の収益力)
	販売費及び一般管理費	○○	→人件費や貸借料等の本業にかかわる費用
	❷営業利益	○○	→(本業の収益力)
経常損益計算	営業外収益	○○	→本業以外の収益
	営業外費用	○○	→本業以外の費用
	❸経常利益	○○	→(経常的な総合収益力)
純損益計算	特別利益	○○	→臨時的で異常な利益
	特別損失	○○	→臨時的で異常な損失
	❹税引前当期純利益	○○	→(税金を考慮する前の最終利益)
	法人税、住民税及び事業税	○○	→法人税、住民税、事業税の税金
	❺当期純利益	○○	→(最終の利益)

＊上記❶～❺の数字は説明として付記したもの（左ページの記載と対応）

「株式資本等変動計算書」を通じて「貸借対照表」の純資産（利益剰余金）に組み入れされる

Part 3

まとめ

- □ **損益計算書の利益には5つの利益があり、企業の製品力や販売力、本業の力などがわかる**

売上高と売上原価の対応

売上高と売上原価の特徴

会社の規模を表す指標に、売上高、総資産、資本金、社員数などがあります。その中で売上高は、経営や税法などに使われる指標としてトップラインといえます。しかし**売上高は業種によってそのかさが大きく異なり、それに応じて売上原価も変わります**。たとえば卸売業、製造業、サービス業の異なる業種について、それぞれ売上総利益を120とした場合、およそ次のような売上高と売上原価の関係の構成割合になり得ます。

	卸売業		製造業		サービス業	
売上高	1,200	100%	300	100%	120	100%
売上原価	1,080	(90%)	180	(60%)	0	(0%)
売上総利益	120	(10%)	120	(40%)	120	(100%)

※（　）は売上高に対する構成割合

このように売上高だけで経営の良し悪しは判断できません。

売上高と売上原価は個別的対応

会計の基本ルールとして、**売上高とその原価は直接・個別的に対応**しなければなりません。卸売業では、売上高に対して直接・個別的に売った商品に対応した仕入原価を、製造業は販売した製造原価を売上原価に計上します。製造原価は、さらに材料費、労務費、製造経費に分類され、未だ完成品の前の仕掛品や未消費の材料は売上原価を構成せず、在庫として把握されます。売上原価を計算把握する方法に**棚卸計算法**と**継続記録法**があります。

売上高に対応する売上原価の計算の仕組み

売上原価の計算(費用配分)

期首商品(製品)棚卸高+当期商品仕入高(当期製品製造原価)
−期末商品(製品)棚卸高=売上原価

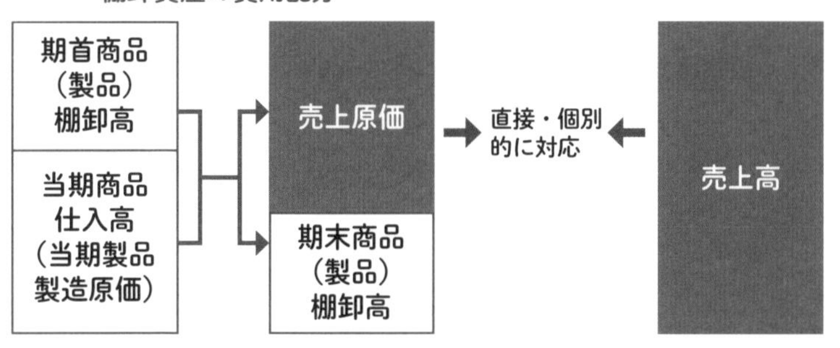

【売上原価を計算把握する方法】

棚卸計算法

期末時に在庫数量を把握し、これに単価を乗じて期末在庫金額を計算して、上記の計算で一括して売上原価を計算する

継続記録法

棚卸資産の受入と払出のつど継続的に帳簿に記録していくことで、売上数や消費数、在庫数を求めて単価を乗じて売上原価を計算する

単価の計算(評価)は、個別法、先入先出法、後入先出法、総平均法、移動平均法などがある

まとめ

- ☐ 売上高と売上原価の大小の関係は業種によって異なる
- ☐ 売上高と売上原価は常に直接・個別的な対応関係になる

販管費の内容

▶販管費の意味と特徴

販売費及び一般管理費は、販売活動や管理運営にかかる費用のうち、製造原価以外のものです。通常**販管費**と省略して呼ばれます。販管費は、商品や製品の直接・個別的に対応する原価ではなく、**期間的**に対応し、発生時の期間に計上します。

販管費は、売上の販売数量に応じて発生する販売促進費や販売手数料、荷造発送費などの変動費もありますが、多くは給料手当や地代家賃など売上に関係なく発生する固定費です。ほとんどの会社では固定費が多く、売上が減少してもあまり販管費は変わらないので業績が落ち込む原因となっています。販管費は、売上総利益から営業利益を導き出す要の費用なので、管理の良し悪しが問われます。

▶販管費の内容別分類

販管費は人件費をはじめ、さまざまな性質に分類できます。

❶**人件費**：人に係る費用で役員報酬、給料手当、賞与、退職金、法定福利費、福利厚生費など

❷**販売費**：販売に係る費用で販売促進費、販売手数料、荷造配送費、広告宣伝費など

❸**管理事務費**：管理事務に係る費用で通信費、事務用品費、光熱費、地代家賃、新聞図書費、会議費、顧問料など

❹**設備費**：設備に係る費用でリース料、減価償却費、修繕費など

❺**研究開発費**：将来の会社発展の先行投資になる研究・開発費用

❻**その他**：租税公課、諸会費、寄付金など

▶ 期間的対応の「販管費」

販売費及び一般管理費の内容

科目	内容
役員報酬 給料手当 賞与 退職金 法定福利費 福利厚生費	❶ 人件費
販売促進費 販売手数料 荷造配送費 広告宣伝費	❷ 販売費
通信費 事務用品費 光熱費 地代家賃 新聞図書費 会議費 顧問料	❸ 管理事務費
リース料 減価償却費 修繕費	❹ 設備費
研究開発費	❺ 研究開発費
租税公課 諸会費 寄付金	❻ その他

組織支える「人」に係る費用
→製造現場などを除く部署が対象

販売に係る費用
→主に営業部が対象

管理運営事務に係る費用
→製造現場などを除く部署が対象

設備や物件に係る費用
→製造現場などを除く部署が対象

研究開発に係る費用
→製造現場や研究開発部が対象

まとめ

- □ 販管費は販売活動や管理運営にかかる費用で、販売費を除き固定費要素の多い科目
- □ 販管費は売上原価と異なり、商品、製品に直接・個別的に対応せず「期間的」に対応するもの

営業外損益と特別損益とは

▶営業外損益とは営業外で発生した収益と費用

営業外損益は、本業収益力を表す「営業利益」から会社の一期間の経常的な総合収益力を表す「経常利益」を算出する過程にあるもので、営業外で発生した収益と費用をいいます。**営業外収益**の代表的なものは金融収益の「受取利息」や「受取配当金」です。また**営業外費用**の代表例は「支払利息」です。このように財務活動によって生じた金融関係の収益・費用は本業の損益とは切り離して処理します。「支払利息」は借入金や社債などの有利子債務と関係させて管理されます。この他営業外の収益・費用には、本業から付随して生じた「雑収入」や「雑損失」など、本業損益以外の収益や費用が計上されます。

▶特別損益の計上

「経常利益」から「税引前当期純利益」を算出する過程にあるのが**特別損益**の項目です。特別損益には、臨時的に発生した多額な保険収入や損害賠償金収入、あるいは前期損益修正益などの**特別利益**と、災害損失などの臨時損失と前期損益修正損の**特別損失**があります。なお、土地や有形固定資産などの売却を本来目的としない業種で、売却または処分した場合に、そのときの価額（時価）と帳簿価額との差異を「固定資産売却益」または「固定資産売却損」として特別損益に計上します。また、有価証券の時価が著しく下落した場合の評価損や有形固定資産の収益力が低下した場合の「減損損失」も、特別損失に計上します。

営業利益(本業利益)から引き継ぐ「営業外損益」と「特別損益」

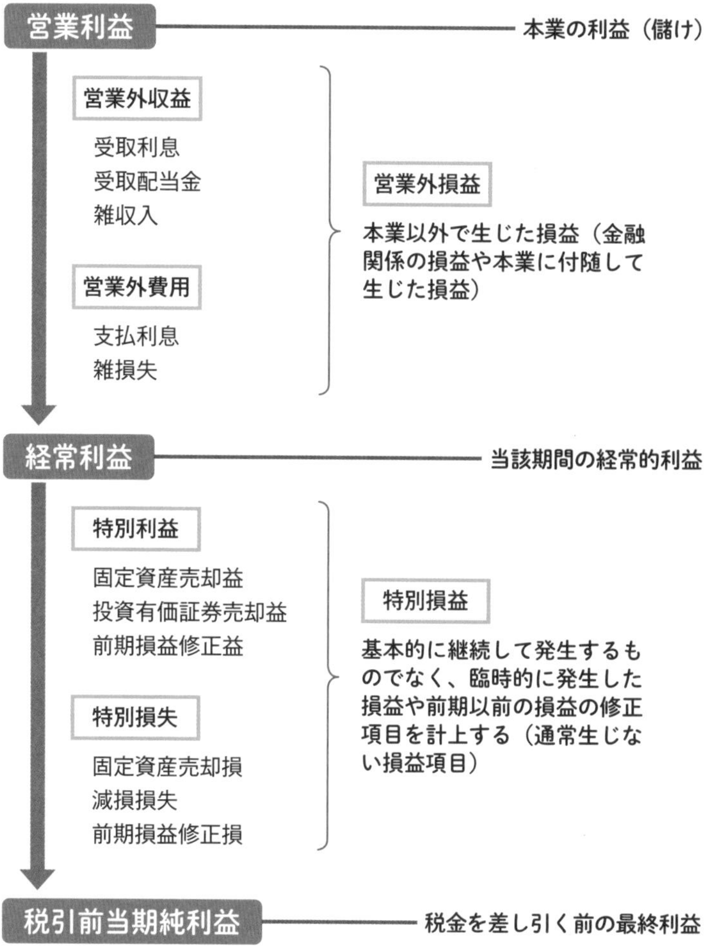

営業利益 ― 本業の利益(儲け)

営業外収益
- 受取利息
- 受取配当金
- 雑収入

営業外費用
- 支払利息
- 雑損失

営業外損益
本業以外で生じた損益(金融関係の損益や本業に付随して生じた損益)

↓

経常利益 ― 当該期間の経常的利益

特別利益
- 固定資産売却益
- 投資有価証券売却益
- 前期損益修正益

特別損失
- 固定資産売却損
- 減損損失
- 前期損益修正損

特別損益
基本的に継続して発生するものでなく、臨時的に発生した損益や前期以前の損益の修正項目を計上する(通常生じない損益項目)

↓

税引前当期純利益 ― 税金を差し引く前の最終利益

まとめ
- □ 営業利益から営業外損益を通じて経常利益へ
- □ 経常利益から特別損益を通じて税引前当期純利益へ

損益計算書を比較してわかる強さと弱さ

損益計算書の収益力を比較して強さと弱さを知る

企業の収益力は「利益」を見ればわかります。5段階の利益（p.60参照）のうちとくに大事な収益力は**営業利益**です。「営業利益」はその会社の本業での利益なので、まずこの比較から強み、弱みを見ます。

予算（計画）との比較（達成率を見る）

予算に対して達成度合いはどうか

前年度との比較や過去５年間のトレンド（増減率を見る）

前年度や過去に比べて成長度合いはどうか

同業他社の平均値やライバル会社との比較（差額率を見る）

上記のように「営業利益」を中心に比較分析して、本業での強み、弱みを把握し、そのうえで取り扱う製品・商品やサービス力の「売上総利益」と「販売費及び一般管理費」の内容を比較分析していきます。こうして企業の収益力の源泉を探り、同様に営業外損益を加えた「経常利益」から全体像へと見ていきます。

B/SとP/Lの全体像から見て強さと弱さを知る

売上高や総資産を基準にして全体的な企業の力の強弱を見ます。

売上高から見た利益の出具合

売上高を基準（100%）とした営業利益や経常利益の達成状況（売上高営業利益率または売上高経常利益率）

事業資産（本業投資資産）や総資産から見た利益の出具合

本業に投資した資産や総資産を基準（100%）とした営業利益や経常利益達成状況（事業資産営業利益率または総資産経常利益率）

損益計算書の収益力の比較で強さと弱さを見る

営業利益や経常利益などを比較

予算（計画）※ ⟷（比較する）⟷ 現状

前年度（過去） ⟷（比較する）⟷ 現状

同業他社 ⟷（比較する）⟷ 現状

現状 ➡
- 強み、弱みは何か
- 課題は何か

※目標利益や予算（計画）を策定していなければそれ自体が弱みであり、目標管理をしていないことになる

B/SとP/Lの全体像から収益力の強さと弱さを見る

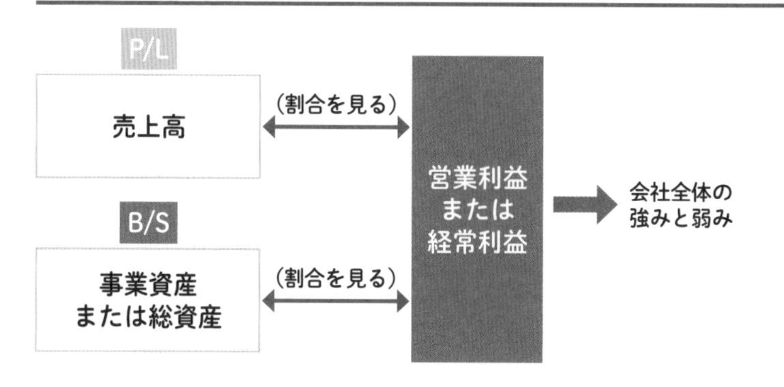

まとめ

☐ 損益計算書から、予算・前年度（過去）・同業他社および会社全体の売上高や事業資産などによって企業の強みや弱さを知る

健康な損益計算書と不健康な損益計算書とは

▶損益計算書で健康な企業かを診断する

企業の経営は利益（黒字）を計上し、資金に余裕があるのが望ましく健康な企業といえます。**企業活動に収益力（パワー）があって付加価値を創出し、低いコストで効率よく経営できる**ことが大事です。

たとえば次のような点に健康な損益計算書（P/L）の特徴があります。

Power（パワー）がある ⇒ 売上増大

・商品・製品・サービスに独自性やブランドがある

・営業力や販売力、流通力が強い

・付加価値や利益率が高い、など

Low cost（低いコスト）である ⇒ 粗利益や営業利益増大

・ムダな原価や費用がない

・労働分配率（粗利益や付加価値との人件費の割合）が低い

・材料の使用効率がよい

・稼働率、歩留り率が高く生産効率がよい

・支払利息など金融費用が少ない、など

▶利益（黒字）計上だけでは安心できない

利益が上がったからといって安心できません。なぜなら「利益」は収益－費用＝利益という計算上のもので、利益＝資金ではないからです。売掛金の回収が買掛金の支払いより遅く、売上が増えれば運転資金が増大し、借金して建物など固定資産を購入しても借金の返済が重荷になります。利益と資金は一致しないので、損益管理と資金管理を合わせた管理が必要です。

▶ 健康な損益計算書と不健康な損益計算書のイメージ

健康な損益計算書か否かは、5つの利益の創出状況による。とくに売上総利益および営業利益の創出度合いが要である。なお、下記の図表は特別損益項目を省略している

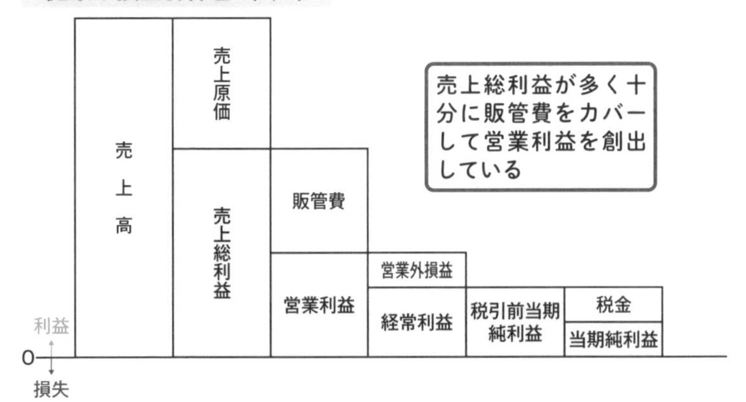

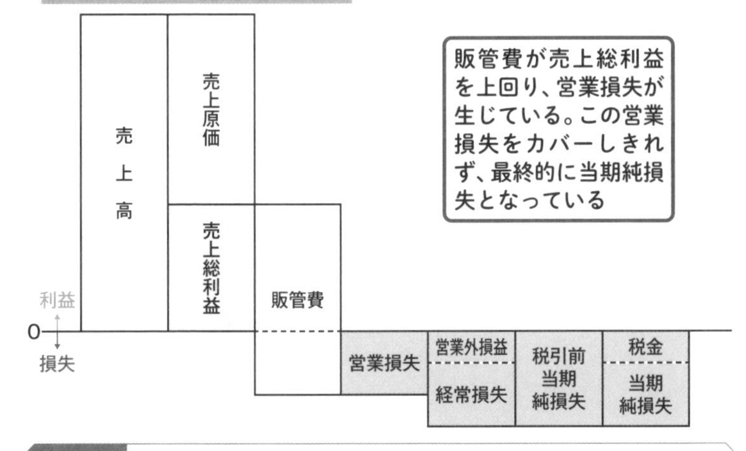

まとめ

□ 健康な損益計算書は、常に企業の収益力(パワー)を増大し、低いコストで付加価値を創造している生産性の高い状態

▶Column

黒字でも経営が苦しいのはなぜ?

倒産とは、一般的に企業の資金が不足して支払ができず、経済的に破綻した状態をいいます。赤字会社は倒産予備軍ですが、必ずしも倒産するとは限りません。支払資金が続く限り、生き残ることができます。**倒産はあくまで資金不足による支払不能**になったときです。赤字倒産は当然といえますが、**黒字（利益）であっても、資金が不足すれば倒産します**。これを**黒字倒産**といいます。これはよく「勘定合って銭足らず」といわれる状態です。

たとえば、商品が売れず在庫が増えたら支出超過になりえます。過大な借金で設備投資して稼働率が低ければ返済ができなくなるでしょう。このように、損益上利益が生じても資金不足になることがよくあり、損益管理だけでなく資金管理がとても重要です。利益が多額にあるにもかかわらず、倒産した例は山ほどあります。利益と資金の管理がいかに大事か肝に銘じておきましょう。

たとえると、**利益と資金との関係の経営状態**は、次の4つに分類できます。

勘定合って銭余る：利益も資金も潤沢で、商売順調、経営良好の状態⇒最も健康な状態

勘定合って銭足らず：利益があり商売順調のように見えるが資金不足となり危険となりうる状態⇒資金管理が必要

勘定合わず銭余る：赤字だが現金商売や前受金、一時借入金などで現金が余っている。長期継続は難しい状態⇒油断大敵

勘定合わず銭足らず：赤字でしかも資金不足。危機的状況で倒産の道へ⇒最も危険な状態

THE BEGINNER'S GUIDE TO FINANCIAL STATEMENT

Part 4

キャッシュフロー計算書(C/F)から何がわかるか

キャッシュフロー計算書の仕組み

▶お金の流れと資金収支

企業は常にお金を生み出し、必要な資金（キャッシュ）が残っていなければ思うように活動ができず窮地に追い込まれます。ましてや不足が生じる場合には金策に追われます。資金不足が続けば倒産も覚悟しなければなりません。そのため、収支計算は損益計算と並んで、あるいはそれ以上に大事です。収支計算の計算式は次の通りです。

収入（入金）－支出（出金）＝資金残高（残金）

収入といっても営業収入（入金）もあれば銀行などからの借入収入もあり、支出も営業支出もあれば、投資支出や借入返済支出もあります。いくら資金残高が生じても借入金で賄ったものであれば、当面よいとしても簡単には喜べません。資金の創出は営業収入で賄われるのが正常な形で、その源泉は何といっても利益です。

▶キャッシュフロー計算書はお金の流れを3つの活動区分に

キャッシュフロー計算書（C/F）は、ある一定期間の収入と支出を３つの活動で区分し、これらの資金の流れ（キャッシュフロー）を表したものです。3つの活動区分は次の通り、貸借対照表と損益計算書を結び付けて作成されます。

❶本業から生み出される**営業活動によるキャッシュフロー**

❷投資にいくら資金を使ったかを表す**投資活動によるキャッシュフロー**

❸銀行等からいくら資金を調達したか、または返済したかを表す**財務活動によるキャッシュフロー**

▶ 資金収支と収支計算

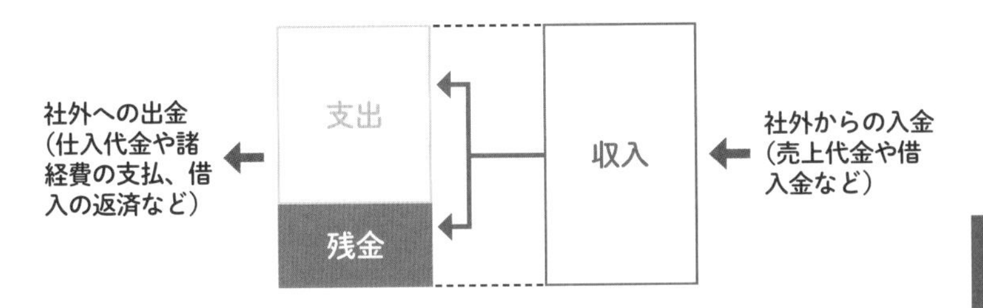

▶ キャッシュフロー計算書の3つの活動区分

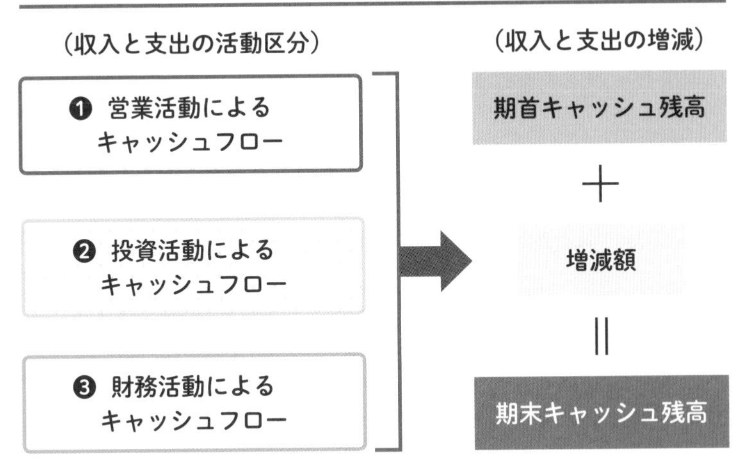

※活動区分ごとの資金の増減を見ることによって、資金がどのように流れて増加や減少しているか、その資金状況がわかる

まとめ

☐ キャッシュフロー計算書は、「営業活動によるキャッシュフロー」「投資活動によるキャッシュフロー」「財務活動によるキャッシュフロー」の3つの活動性質に分けてお金の流れを表す

キャッシュフロー計算書の意味とルール

▶キャッシュフロー計算書は資金の創出具合を表す

キャッシュフロー計算書は、**Cash・Flow Statementで略して（C/F）と呼ばれるように、期首から期末の期間で資金がどれだけ増えたり減ったりしたかの増減がわかる**と同時に、**その増減の理由が営業活動によるものか、投資活動なのか、財務活動なのかの３つの区分でお金の流れを表すもの**（p.74参照）です。また、企業が自由に使える資金（これをフリー・キャッシュフローという）をどれだけ創出したかがわかります（p.142参照）。C/Fの特徴は、CはCreativeのC、FはFreeのFとしてイメージすることができます。

Creative（創造的）：利益を基に非資金の減価償却費を加えて、売上債権と棚卸資産、仕入債務の運転資金などが正常に管理され、資金が創造的に生み出され、滞りなく流れ創出されているかを見ることができる

Free（自由）：自由に使える資金の創出。営業キャッシュフローから現在の事業を維持するために必要な投資資金を差し引いた自由な資金を、どれだけ生み出しているかを見ることができる

▶キャッシュフロー計算書は「間接法」で作成表示

キャッシュフロー計算書を作成表示する方法として、収入と支出を総額で行う**直接法**と税引前当期純利益に必要な調整を行って示す**間接法**があります。ほとんどの企業では「間接法」によって作られています。**間接法によれば、利益と資金の違いが活動区分ごとに明らかと**なり、お金の出入りと利益に粉飾がないかなどがわかります。

▶ お金の創出と流れ

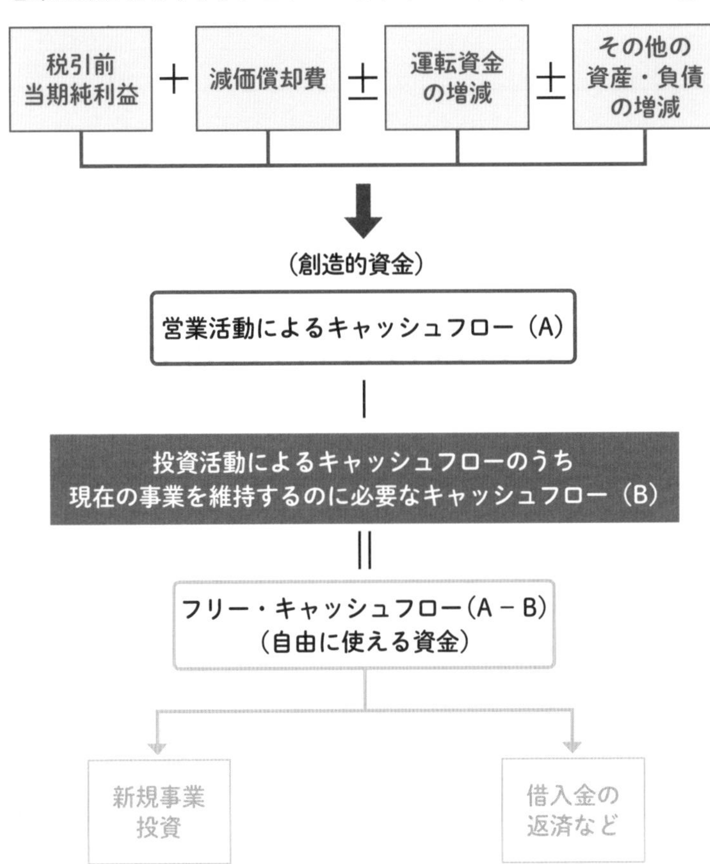

まとめ

- □ キャッシュフロー計算書は資金の創出具合とフリー・キャッシュフローの状況を表す
- □ キャッシュフロー計算書の作成表示方法に、「直接法」と「間接法」があるが、ほとんどの会社では利益と資金の違いのわかる「間接法」が採用されている

利益（損益）とお金（資金）の違いは

▶利益（損益）とお金（資金）の主な違い

利益は儲けを表す会計計算上の意見（オピニオン）の数値であり、**お金は現金そのものの事実**です。**キャッシュフロー計算書上の現金とは、現金（手許現金や当座預金・普通預金などの要求払い預金）と３か月以内の定期預金、譲渡性預金等容易に換金可能でリスクの少ない現金同等物**です。この「利益」と「お金」が一致することはまずありません。その違いは次の3つの要因によります。

運転資金による違い：資金を生み出す一番のもとは利益ですが、いくら売上が増え、利益が上がっても売掛金のままでは資金は増えません。売掛金や棚卸資産が期首より増え、買掛金が期首より減れば、利益に対して資金は減少します。逆に売掛金や棚卸資産が期首より減り、買掛金が期首より増えれば、利益以上に資金は増えます。このようにたとえ利益が同じであっても、債権債務や棚卸資産の増減によって資金は増えたり減ったりします。

非資金の費用による違い：設備投資を行って長期に費用配分する**減価償却費は、資金支出の伴わない費用で損益計算の費用として計上**されます。これは利益を圧縮しますが、資金支出がされないので、利益と資金が合わないこととなります。なお、設備投資を行った時点では資金支出がされますが、費用に計上されず資産に計上されますので、利益と資金は一致しません。

損益に直接係わらない資金収支による違い：銀行からの借入や返済、他社に対する貸付や返済、有価証券の購入などはもとより損益計算に直接係わらない資金収支なので、利益と一致しません。

事例で見る利益と資金の違い

〔損益計算〕➡会計方針などによって利益は異なる（オピニオン）

例題

売上	100	
売上原価	60	（仕入90、うち在庫30）
諸経費	30	（うち減価償却費10）
利益	10	

〔収支計算〕➡客観的な事実

	現金売上 現金仕入 (A)	現金売上 掛仕入 (B)	掛売上 現金仕入 (C)	掛売上 掛仕入 (D)
売上収入	100	100	0	0
仕入支出	90	0	90	0
経費支出	20	20	20	20
(減価償却費を除く)	(30-10)	(同左)	(同左)	(同左)
資金残高	△10	80	△110	△20

〔営業活動によるキャッシュフロー〕(間接法)

	現金売上 現金仕入 (A)	現金売上 掛仕入 (B)	掛売上 現金仕入 (C)	掛売上 掛仕入 (D)
税引前当期純利益	10	10	10	10
減価償却費	10	10	10	10
売上債権の増加	0	0	△100	△100
棚卸資産の増加	△30	△30	△30	△30
仕入債務の増加	0	90	0	90
営業キャッシュフロー	△10	80	△110	△20

利益と資金の違い

まとめ

☐ 利益（損益）とお金（資金）の主な違いは、運転資金、非資金の費用、損益に直接係わらない資金収支による

健康なキャッシュフロー計算書と不健康なキャッシュフロー計算書とは

▶健康なキャッシュフロー計算書か否かその見極め方

お金（資金）の動きを3つの活動性質にまとめたのがキャッシュフロー計算書（C/F）ですが、そのお金（資金）の動きによって企業の健康状態がわかります。お金は企業にとってなくてはならない活力源であり、人間の体でたとえれば血液にあたります。血管が詰まり、血液の流れ（循環）がストップすれば死に至るように、企業も支払うお金がなく途絶えれば倒産です。たゆまずサラサラと流れ、企業体力の活力源となって企業を維持しなければなりません。キャッシュフロー計算書は、お金の流れ具合や活力源の蓄積度合いを見ることができます。

健康なキャッシュフロー計算書とは**お金（キャッシュ）の正流**です。利益を源泉として、運転資金がうまくコントロールされ「営業活動によるキャッシュフロー（p.74参照）」がプラスとなり、これを財源に投資活動を容易にし、また財務活動の借入金返済が滞りなく行われている状態です。売上が急拡大し、利益が上がっても売掛金が多額に発生すると運転資金が追い付かず、資金不足に陥ることがあるので要注意です。

不健康なキャッシュフロー計算書とは**お金（キャッシュ）の逆流**です。利益が十分になく（または欠損）、「営業活動によるキャッシュフロー」がマイナスとなり、投資活動が行われません。財務活動の借入金返済が滞るなど資金が枯渇し、新たな借金に頼らざるを得ない状況です。

▶ 健康なキャッシュフロー

〔営業C/Fがプラス〕

①営業C/F

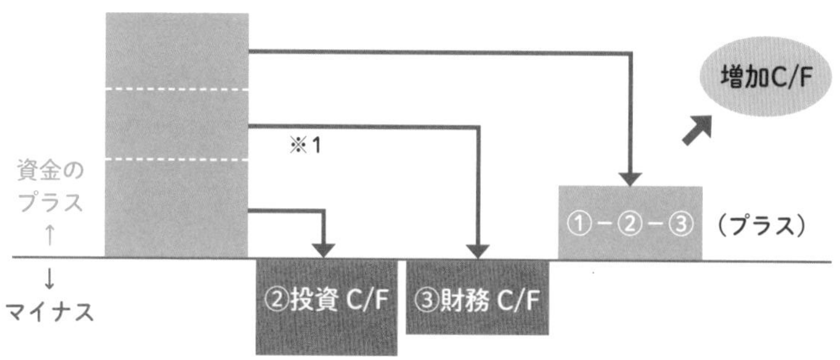

※1営業C/Fによって投資C/Fや財務C/Fを賄う資金の正流

▶ 不健康なキャッシュフロー

〔営業C/Fがマイナス〕

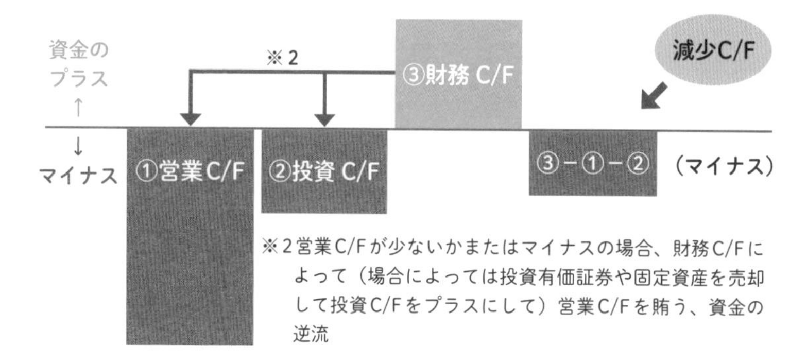

まとめ	☐ 健康なキャッシュフロー計算書は利益を源泉にして「営業キャッシュフロー」がプラスとなる

キャッシュフロー計算書の貸借対照表と損益計算書とのつながり

▶キャッシュフロー計算書は貸借対照表と損益計算書との連携

キャッシュフロー計算書（C/F）の作成表示方法には、直接法と間接法の2つがありますが（p.76参照）、**直接法と間接法の違いは❶営業活動によるキャッシュフローだけ**です。❷投資活動によるキャッシュフローと❸財務活動によるキャッシュフローは、どちらの方法でも収入総額と支出総額を表示するので違いはありません。

直接法は「営業活動によるキャッシュフロー」の作成において、1年間に発生した取引の中から収入総額と支出総額を抽出計算して行い、間接法は、税引前当期純利益に必要な調整項目を加減して行われます。

いずれの方法にせよ、貸借対照表（B/S）と損益計算書（P/L）との連携は欠かせません。以下間接法による作成が一般的であるため、この方法を示すと貸借対照表と損益計算書との連携は次の通りです。

間接法による「営業活動によるキャッシュフロー」は、損益計算書の税引前当期純利益からスタートして、減価償却費の調整や貸借対照表の諸勘定科目の調整を図るなどして作成されます。要するに**貸借対照表と損益計算書、および株主資本等変動計算書との連携が必要**です。しかし「投資活動によるキャッシュフロー」と「財務活動によるキャッシュフロー」は総額表示になるので、固定資産台帳や減価償却費の明細表、有価証券台帳、借入金台帳、その他資産・負債の明細表を参考にして作成されます。

キャッシュフロー計算書の作成表示とB/SとP/Lなどとのつながり

キャッシュフロー計算書(間接法) 簡略版

キャッシュフロー計算書(間接法)		
❶営業活動によるキャッシュフロー		
税引前当期純利益	○○	←P/Lより
減価償却費	○○	←P/Lより
売上債権の増減	○○	B/Sより
棚卸資産の増減	○○	B/Sより
仕入債務の増減	○○	B/Sより
その他の調整額	○○	B/Sより
営業活動によるキャッシュフロー	○○	→❶主に本業でいくらお金を稼いだか
❷投資活動によるキャッシュフロー		
有形固定資産の取得支出	○○	←B/Sその他資料より
投資活動によるキャッシュフロー	○○	→❷主に投資にいくらお金を使ったか
❸財務活動によるキャッシュフロー		
短期・長期借入金の収入	○○	←B/Sその他資料より
短期・長期借入金の返済	○○	←B/Sその他資料より
財務活動によるキャッシュフロー	○○	→❸主に銀行からいくらお金を調達したか、または返済したか
❹現金及び現金同等物の増減額	○○	→❶+❷+❸
❺現金及び現金同等物の期首残高	○○	→(前年度のB/S、繰越残高)
❻現金及び現金同等物の期末残高	○○	❹+❺=お金の期末残高(当年度のB/Sへ)

利益と資金の違い（税引前当期純利益 ↔ ❹現金及び現金同等物の増減額）

まとめ

- □ キャッシュフロー計算書は、貸借対照表と損益計算書、および株主資本等変動計算書との関連で作られる

Column

売上が増えたのに資金繰りが厳しいのはなぜ?

現代の信用取引の経済社会においては、商品の売買は現金商売を除き掛で行われるため、商品の受け渡しと現金の決済がズレます。また、一部の受注生産販売を除き、見込生産販売では一定の在庫を保有して行われます。通常「月末締め、翌々月10日払い」などの取引契約によって、販売してから入金になるまで1か月から2か月あるいはそれ以上かかり、かなりのズレが生じます。

このため、損益計算書に計上する「売上高」と貸借対照表の「売掛金」から入金になるまでのズレが発生し、売上高が増えればそのぶん「売掛金」も増え、その間資金が寝ることになります。また、通常仕入代金が売上入金より先行し、在庫をもたなければならず、一定額の営業運転資金が必要です。営業運転資金は、営業運転の資金需要額であって、次の算式で表されます。

営業運転資金＝売上債権（売掛金など）＋在庫（棚卸資産）
－仕入債務（買掛金など）

たとえば営業運転資金が平均月商の3か月であった場合、売上が2倍に急拡大すると営業運転資金が2倍ほどに膨れ上がり、一時資金不足となります。これが**増加運転資金**となり、金融機関から借入をしなければならない結果となります。

利益を常に上げるために売上を伸ばしていかなければなりませんが、売上の回収サイト、仕入の支払サイトの売買契約を慎重に行うとともに、適正在庫を基準に在庫を管理し営業運転資金を極力抑える工夫も必要です。無駄な在庫をもたないよう、また不良品や滞留在庫は早めに処分や評価減を行って長期滞留とならないよう注意が必要です。

THE BEGINNER'S GUIDE TO FINANCIAL STATEMENT

Part 5

貸借対照表（B/S）で見る企業の安全性や健全性

貸借対照表(B/S)から企業の安全性や健全性がわかる

財務の安全性、健全性

一般的に「安全性」とは、ある物事について、リスクが許容可能な水準(あるいは限度)に抑えられている状態の度合をいいますが、**財務上の安全性や健全性というのはバランス度合で企業の健康状態がわかります**。貸借対照表はB/Sと略していわれますが、たとえばB/SのBはBalance(バランス)のB、SはStability(安定)のSとしてイメージするとその特徴がつかみやすくなります。

資金調達面のバランス

❶**資本構造のバランス**:純資産(自己資本)と負債(他人資本)や全体総資本との資本構造のバランスを見る

❷**有利子債務構造のバランス**:借入金や社債など有利子債務の全体の総資本の占める割合で有利子債務構造のバランスを見る

❶❷は自己資本比率、負債比率などにより判定

資金運用面のバランス

❸**資金構造のバランス**:現金預金そのものや運転資金(売上債権+棚卸資産−仕入債務)、その他の資産運用の流動資産と流動負債との資金構造のバランスを見る。流動比率、当座比率、手元流動性などにより判定

❹**投資構造のバランス**:固定資産への投資と長期調達資本(長期借入金と自己資本)との投資構造のバランスを見る。固定比率、長期固定適合率によって判定

❺**資金回転の効率バランス**:総資産や売上債権、棚卸資産、固定資産が効率的に運用されているか、回転期間や回転率によって判定

▶ 資金調達面と資金運用面の構造などのバランス

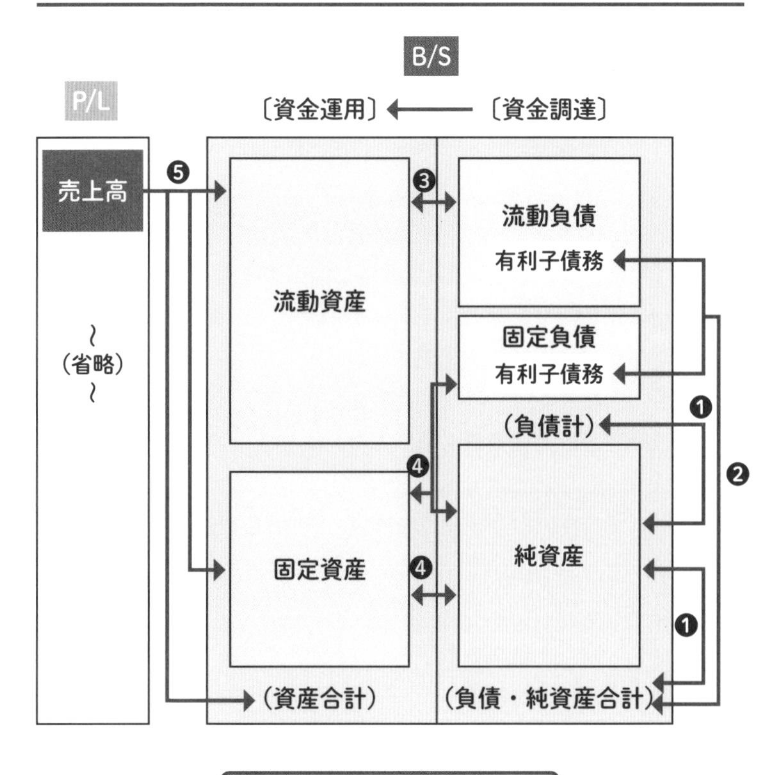

〔資金調達面〕
❶資本構造のバランス
❷有利子債務構造のバランス
〔資金運用面〕
❸資金構造のバランス
❹投資構造のバランス
❺資金回転の効率バランス

まとめ
□ 貸借対照表の資金調達面と資金運用面の構造分析や効率などによるバランスから財務の安全性や健全性を見ることができる

支払能力を見る

～短期的な支払資金の能力がわかる「流動比率」～

「流動比率」指標の意味と計算式

流動比率は、1年以内に現金預金になるべき流動資産と、1年以内に返済しなければならない流動負債との比較で、前者が後者を超えていれば短期的に支払能力はあるというものです。支払い能力があるか否かは、資金繰りにおいて大変重要です。

常に**流動資産＞流動負債**にならなければ安心とはいえず、支払能力は危険信号となります。

この比率は債権者が重視する指標で、とくに銀行が融資する際、必ず見る指標なので注意しなければなりません。「流動比率」の計算式は次の通りです。

$$流動比率 = \frac{流動資産}{流動負債} \times 100$$

指標基準

健全な目標比率はおよそ150%以上、少なくとも120%は必要です。もし流動負債を今すぐに返済しなければならないとした場合、流動資産が全額即現金になることは通常ありえません。売掛金の回収リスクや棚卸資産やその他の流動資産は換金化するまでには相当の時間がかかります。このため、銀行などの債権者から見た場合、流動資産が流動負債の150%（できれば200%）あれば、リスクを考慮しても一応安心と考えるのです。

短期的な支払資金の能力はどのくらいか

例題

流動資産：180

流動負債：140

（計算式）

$$流動比率 = \frac{流動資産}{流動負債} \times 100 = 129\%$$

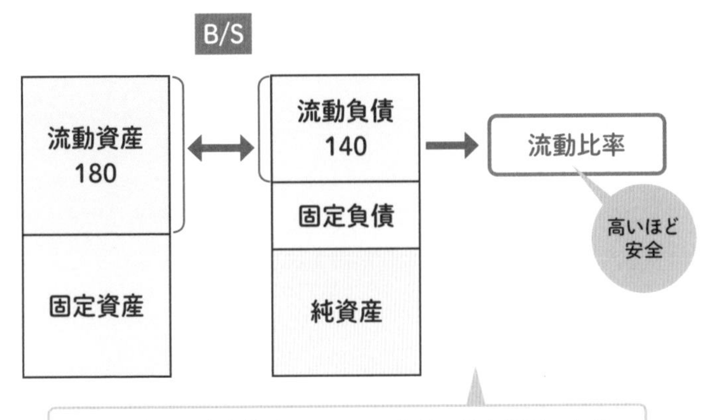

流動比率は、資金構造のバランスを見る基本指標であり、支払能力の余裕度を見ることができる

まとめ　経営改善ポイント

□「支払い能力の有無」を第三者の立場で客観的に見ること

- 個人や他社への貸付をしない
- 使途不明な仮払いはしない
- 在庫を多くもたない
- 売掛金の早期回収を図る
- 入出金の記帳を毎日きちんと行い、現金残高は毎日確認する
- 支出をする場合は上司が決済し、事務員単独ではさせない
- 資金繰り表を作成し、資金管理をきちんと行う

短期間の支払能力の強さ

～より厳格に短期の支払能力を見る「当座比率」～

「当座比率」指標の意味と計算式

流動資産は、換金性の高い「当座資産（現金預金をはじめ受取手形や売掛金の売上債権、一時所有の市場性のある有価証券）」と「棚卸資産」および未収金や短期貸付金、仮払金などの「その他の流動資産」の3つの性質に分類されます。

当座比率は、流動資産のうち換金性の高い当座資産のみに着目し、流動負債に対する支払能力の度合を示すものです。

資金化に時間のかかる棚卸資産やその他の流動資産を除外しますので、**流動比率よりシビアに短期の支払能力を見る**ことができます。「当座比率」の計算式は次の通りです。

$$当座比率 = \frac{当座資産}{流動負債} \times 100$$

当座比率は当座資産の支払能力、いわゆる支払資金の余裕度合を見るものです。流動比率より厳しくした概念で、高いほど安心といえます。

指標基準

当座比率は80%あれば一応安心ですが、できれば100%以上を目標にしたいものです。流動比率と異なり、当座資産には棚卸資産やその他の流動資産が含まれず、不良債権がないかぎり通常売上債権は3～4か月内には回収されるので、流動負債に対して100%あれば支払能力は安全と見られます。

当座比率を求める

例題

当座資産（現金預金、売掛金、有価証券）：130

流動負債：140

（計算式）

$$当座比率 = \frac{当座資産}{流動負債} \times 100 = 93\%$$

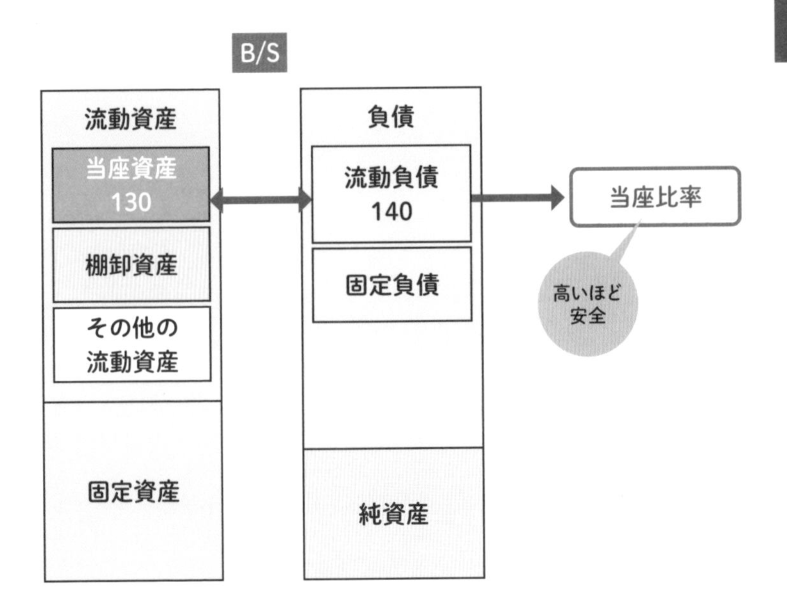

まとめ　経営改善ポイント

□「短期の支払い能力の有無」をより厳格に見ること

- 短期の支払予定額を把握する（資金繰り表などにより）
- 支払資金残高と支払予定額とのバランスを考える
- 売上債権の早期回収など管理はシビアに
- 在庫金額を適正に、過剰在庫にならないよう注意する
- リスクの高い有価証券や本業に関係ないものに投資はしない

お金保有の安全性

～平均月商のお金の保有度合がわかる「手元流動性」～

「手元流動性」指標の意味と計算式

手元流動性は、平均月商（月平均売上高）に対して現金預金や即換金になる有価証券などの手元資金をどれだけ保有しているかの安全性を見る指標です。「現金預金など」を保有する目的は、経常的な支払資金と不測の事態への支払に備えるためです。数値が高いほど安全であり、資金の余裕があれば、いざというときに心配はいりません。資金に余裕がなければ、金策に走らなければならないことになります。しかしあまり高すぎても金余りで、資金の運用効率が悪く、運用バランスを考えなければなりません。なお、平均月商に対して現金預金だけの手元資金を対象にしたものを**現預金月商倍率**といいます。

「手元流動性」の計算式は次の通りです。

$$手元流動性 = \frac{現金預金＋一時所有有価証券}{平均月商（年間売上高 \div 12か月）}$$

指標基準

企業が常時保有する「現金預金など」がどの程度必要かの明確な基準はありませんが、一般的には**2～3か月程度の手元流動資金はもちたい**ものです。たとえ売上がまったくない状態が2～3か月続いた場合にも耐えることができ、売上が半減しても半年近くはもちこたえ、その間対策を講じることができます。

▶ 平均月商の何か月分のお金を保有しているか

例題

現金預金：50

有価証券：10

平均月商：30（年間売上高360÷12か月）

（計算式）

$$\text{手元流動性} = \frac{\text{現金預金}+\text{一時所有有価証券}}{\text{平均月商（年間売上高}\div 12\text{か月）}} = 2\text{か月}$$

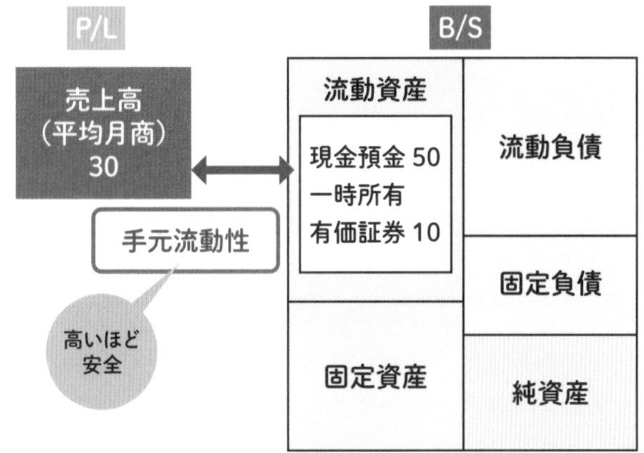

資金構造の安全性の見方

財務分析	目標数値	対象資産	支払能力の見方
手元流動性	2～3か月	①現金預金、一時所有有価証券	厳格
当座比率	100%	②当座資産（①＋売上債権）	やや厳格
流動比率	150%	③流動資産（②＋棚卸資産＋その他の流動資産）	1年ベース

まとめ **経営改善ポイント**

□「支払い能力の有無」を売上高との関係で見ること

- 定期的・規則的な預金の積み立ての実施
- 会社の実態に合わせて手元流動性の目標保有月数を設定
- リスクの高い有価証券は購入しない

固定資産のお金の調達方法の安全性

～長期にわたる資金調達の「固定比率」と「固定長期適合率」～

「固定比率」「固定長期適合率」指標の意味と計算式

固定資産は長期にわたって使用または投資されるものであり、販売用資産とは異なり短期に現金化されるものではありません。このため固定資産に投入された資金は長期にわたって固定化しますので、返済する必要のない純資産（自己資本）や少なくとも長期に返済を予定する長期借入金や社債などの固定負債で賄う必要があります。設備投資など固定資産を取得するには、投下資産に対する利益計画や投下資金の回収期間の算定、また資金調達および借入金の返済など計画を周到に行っていくことが大切です。

❶固定比率とは、固定資産を純資産（自己資本）で賄っているかの安全性を見る指標で、❷固定長期適合率は純資産と固定負債で固定資産を賄っているかどうかの安全性を見る指標です。

それぞれの計算式は次の通りです。

$$❶固定比率 = \frac{固定資産}{純資産} \times 100$$

$$❷固定長期適合率 = \frac{固定資産}{純資産 + 固定負債} \times 100$$

指標基準

固定比率は100%以下を目標（少なくとも120%以下）に、**固定長期適合率は80%以下を目標**（少なくとも100%以下）にしたいものです。

▶ 固定資産は長期固定資本で賄われているか

例題

固定資産：120

純資産：100　　固定負債：60

（計算式）

$$❶固定比率 = \frac{固定資産}{純資産} \times 100 = 120\%$$

$$❷固定長期適合率 = \frac{固定資産}{純資産 + 固定負債} \times 100 = 75\%$$

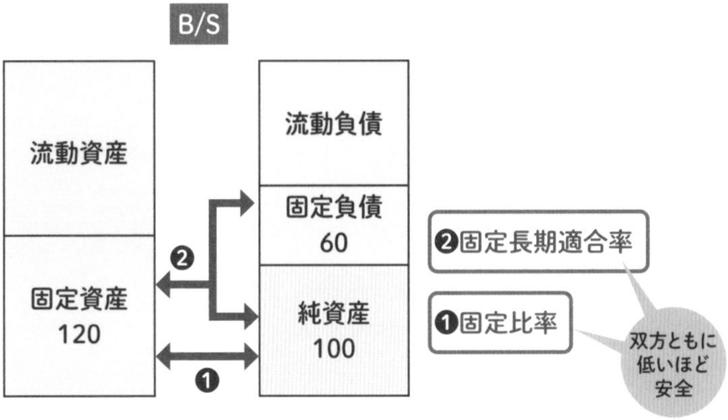

まとめ　経営改善ポイント

□ **固定資産は純資産以内に、少なくとも固定負債を含めた長期固定資本で賄うことが必要**

- 短期の運転資金で設備投資をしない
- 本業以外の投資は原則しない
- 土地を購入する場合、できる限り自己資金で賄うようにしたい
- 資金計画をしっかり立て、減価償却を考慮する
- 営業キャッシュフローの範囲内で設備投資を行う
- 遊休資産（事業用に取得し稼働していない資産）は早めに売却、減損あるいは除却する

借金の負担(重さ)

～借金の重さがわかる「借入金依存度」と「借入金月商倍率」～

「借入金依存度」「借入金月商倍率」指標の意味と計算式

借金の重さの度合いは「借入金依存度」と「借入金月商倍率」によってわかります。

❶借入金依存度は、総資本のうち借金（長・短期借入金や社債などを含めた有利子債務）がどれだけあるかの安全性や危険度を見る指標です。これは資金調達の総和たる総資本に対して借金の重さを量るモノサシで、少ないほど安全です。

また**❷借入金月商倍率は、借金と１か月平均売上高（平均月商）とのバランスを見る指標**です。この数値が少なければ売上高（返済の原資）に対して負担が軽く安全であり、逆に多ければ返済に重くのしかかり危険度は高くなっていることを表します。

事業チャンスをとらえて資金調達をする場合、他人資本と自己資本の最適資本構成を考えることが大切です。それぞれの計算式は次の通りです。

$$❶借入金依存度 = \frac{長・短期借入金+社債}{総資本} \times 100$$

$$❷借入金月商倍率 = \frac{長・短期借入金+社債}{平均月商（年間売上高 \div 12か月）}$$

指標基準

借入金依存度は30%以下を目標（少なくとも40%以下）に、**借入金月商倍率は２か月以下を目標**（少なくとも3か月以下）にしたいものです。

▶ 借金の重さはどのくらいか

例題

短期借入金：30　長期借入金：60

総資本：300

平均月商：30（年間売上高360÷12か月）

（計算式）

❶借入金依存度 ＝ $\dfrac{\text{長・短期借入金＋社債}}{\text{総資本}}$ × 100 ＝ 30％

❷借入金月商倍率 ＝ $\dfrac{\text{長・短期借入金＋社債}}{\text{平均月商（年間売上高÷12か月）}}$ ＝ 3か月

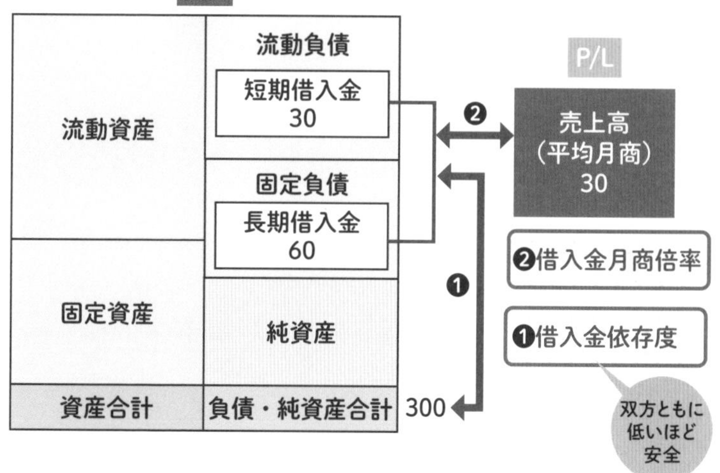

まとめ　経営改善ポイント

☐ **利子が付与され、返済のある有利子債務の負担は極力少ないものにする**

- 過大な借金は禁物
- 借金が過大と判断したら、不要な資産売却や増資などによって借金の負担を軽くする
- 自己資本と他人資本のバランスを考えて資金調達を図る

自己資本の充実度

～純資産（自己資本）の充実度を見る「自己資本比率」～

「自己資本比率」指標の意味と計算式

資金の集め方（総資本）には、自己資本（資本金と利益の蓄積など）と他人資本（買掛金や借入金などの負債）の大きく2つがあります（右図参照）。自己資本は資本金と社内に蓄積された利益などで第三者に返済の必要ないもののため、総資本のうち自己資本が多ければ安全性が高く、逆に他人資本が多く自己資本が少ないと資金繰りに窮したとき大変危険です（ここでは自己資本を純資産と同じとして取り扱っている）。

自己資本比率は、企業活動に投下された総資本のうち純資産（自己資本）に占める割合で、資金調達面の構成割合から安全度合を見るものです。好況時にはさほど気になりませんが、不況時にはとくに財務体質の良し悪しが問われる指標です。高いほど安全ですが、高すぎるとその資本運用がうまくできていないという見方もあります。また、自己資本の財源だけでは事業の拡大は困難なため、どうしても他人資本の活用が必要となります。最適資本構成として自己資本と他人資本のバランスが必要です。

自己資本比率の計算式は次の通りです。

$$\text{自己資本比率} = \frac{\text{自己資本}}{\text{総資本}} \times 100$$

指標基準

健全な目標比率はおよそ**40%**以上、少なくとも**30%**は確保したいものです。

自己資本（純資産）と総資本とのバランスがとれているか

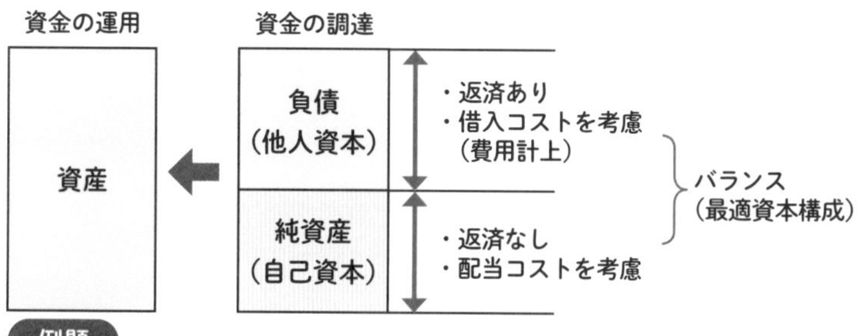

例題

純資産（自己資本）：100
総資本：300
（計算式）

$$自己資本比率 = \frac{自己資本}{総資本} \times 100 = 33\%$$

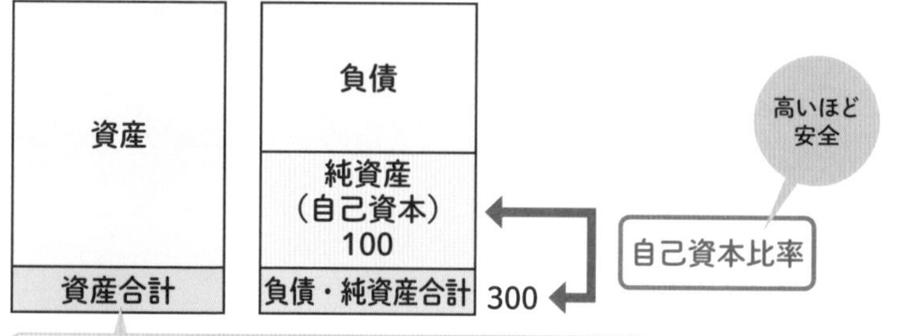

自己資本がマイナス（債務超過）の場合、大変危険。
早めの資本充実策が必要

まとめ　経営改善ポイント

☐ **自己資本の充実が企業の存続へつながることを理解する**

- 資本金は月商（1か月の売上高）を目安とする。過小資本金を充実することが大事。ただし配当コストも考慮
- 税金を怖がらず、内部蓄積（利益剰余金の蓄積）を行う
- 自己資本とのバランスを考えずに借金による拡大主義は最も危険（慎重に）

総資産の活用状況

～純資産の活用状況（回転速度）を見る「総資産回転率」～

「総資産回転率」指標の意味と計算式

企業活動に投下され運用された資本は売上高によって回収されるので、**総資産回転率は、この回収度合、あるいは資本の活用度合から資本効率や資本運用の安全性を見る**ことができます。少ない資本で多額の売上高が生じれば大変効率がよく、安全性が保たれます。不良な資産をなくし、過大な在庫投資や設備投資、本業以外への投資は避けるべきです。たとえ見栄えよく企業財務の規模を大きくしても、経営効率を考えたスピード経営にマイナスになります。

「総資産回転率」は「産出÷投入＝生産効率」を基本に考えられたもので、産出効果（売上高）と投入原資（総資産）の効率とバランス効果を見るものです。

この計算式は次の通りです。

$$\text{総資産回転率} = \frac{\text{売上高}}{\text{総資産}}$$

指標基準

製造業や建設業などは1.2回以上、できれば**1.5回を目標**にしたいものです。卸売業や小売業などは1.8回以上、できれば**2回を目標**にできるとよいでしょう。設備投資の多い資本集約型の製造業などは回転率が低く、卸売・小売業など労働集約型の業種は高めになります。なお専門サービス業は少ない資本で事業ができるため、総資産回転率は非常に高くなります。

総資産の回転速度はどの程度か

例題

年間売上高：360

総資産（総資本）：300

（計算式）

$$総資産回転率 = \frac{売上高}{総資産} = 1.2回$$

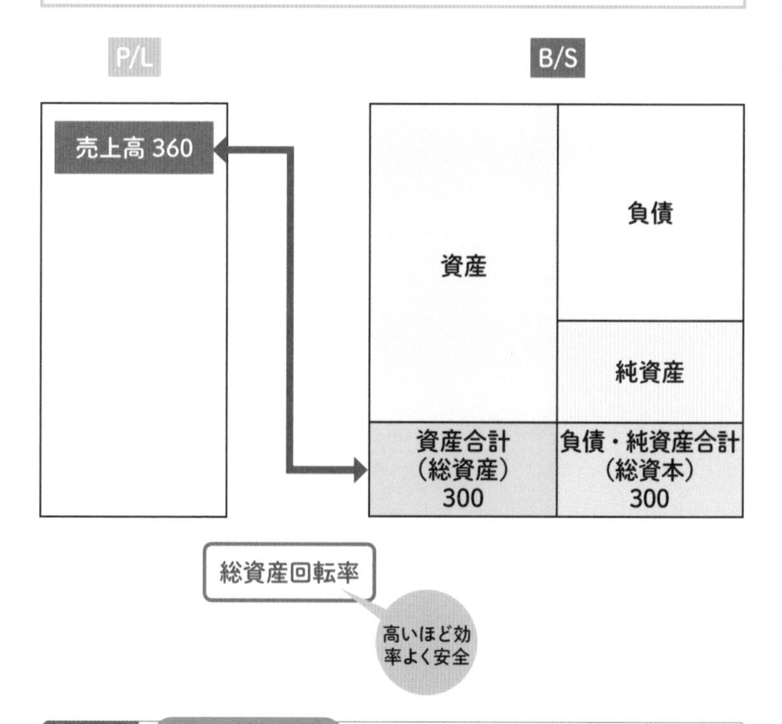

まとめ　経営改善ポイント

□ **総資産の効率的運用を図る**

- 本業以外の資産や無駄な資産はもたない
- 在庫の滞留を防ぐ
- 不良資産は早く処分する
- 有形固定資産の稼働率を上げる
- 仮払金や立替金は早く精算する
- 事業資産への投資効率を重視する

売上債権と仕入債務の決済期間

～運転資金の状況「売上債権回転期間」と「仕入債務回転期間」～

「売上債権回転期間」「仕入債務回転期間」指標の意味と計算式

❶売上債権回転期間は、売上債権を平均月商の何か月分保有しているか（または滞留しているか）、すなわち**どのくらいの期間で回収できるかを計る尺度**です。一方**❷仕入債務回転期間は、平均月商の何か月分仕入債務の支払を待ってもらっているか（仕入から支払決済まで）の期間**を表します。売上債権の保有期間が短く（回収が早く）、仕入債務の支払期間が長ければ（遅ければ）資金繰りが楽になり、反対に売上債権の保有期間が長く（回収が遅く）、仕入債務の支払期間が短ければ（支払いが早ければ）資金繰りが苦しくなります。

それぞれの計算式は次の通りです。

$$❶売上債権回転期間 = \frac{売上債権}{平均月商（年間売上高 \div 12か月）}$$

$$❷仕入債務回転期間 = \frac{仕入債務}{平均月商（年間売上高 \div 12か月）}$$

なお回転速度で表す場合は、年間売上高を分子に、売上債権、仕入債務をそれぞれ分母にして回転数を計算します。

指標基準

売上債権回転期間は、業種業態によって異なりますが、２か月以内の目標（少なくとも３か月以内）に、仕入債務回転期間は、２～３か月にしたいものです。

▶ 売上債権の保有期間と仕入債務の支払期間はどのくらいか

例題

売上債権（売掛金）：70

仕入債務（買掛金）：50

平均月商：30（年間売上高360 ÷ 12か月）

（計算式）

❶売上債権回転期間 ＝ 売上債権 ／ 平均月商（年間売上高 ÷ 12か月） ＝ 2.3か月

❷仕入債務回転期間 ＝ 仕入債務 ／ 平均月商（年間売上高 ÷ 12か月） ＝ 1.7か月

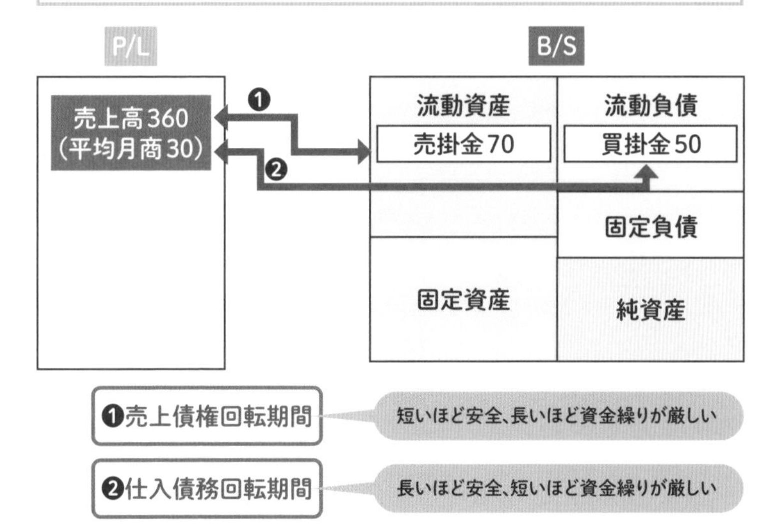

❶売上債権回転期間 — 短いほど安全、長いほど資金繰りが厳しい

❷仕入債務回転期間 — 長いほど安全、短いほど資金繰りが厳しい

まとめ　経営改善ポイント

☐ **売上債権回転期間と仕入債務回転期間のバランスを考える**

- 継続取引の契約書をしっかり整える
- 売上先の信用調査を定期的に行う
- 遅延が発生したら即座に適切な対応策を講じる
- 仕入先にあまり厳しい条件を提示しても取引にならないことがあるので、相手のことも考えて契約を取り交わす

棚卸資産の保有期間

～運転資金に影響する「棚卸資産回転期間」～

「棚卸資産回転期間」指標の意味と計算式

❶棚卸資産回転期間は、棚卸資産を平均月商の何か月分保有しているかを表します。棚卸資産回転期間が短いほど資金効率がよく安全と考えます。この棚卸資産は販売効率や生産効率に影響をおよぼすとともに､資金繰りにも大きな影響を与えます。棚卸資産は仕入代金や保管費用がかかり、保有期間が長ければそれだけ資金が寝ることになり､その分運転資金が必要です。しかし､在庫が少なく生産や販売に支障をきたしたら商売になりません。常に適正在庫の管理が必要です。また棚卸資産は、**年に何回売上に貢献したか、その度合の回転数を表すのが❷棚卸資産回転率**で、棚卸資産の回転速度（スピード）がわかります。

それぞれの計算式は次の通りです。

$$❶棚卸資産回転期間 = \frac{棚卸資産}{平均月商（年間売上高 \div 12か月）}$$

$$❷棚卸資産回転率 = \frac{売上高}{棚卸資産}$$

指標基準

棚卸資産回転期間は業種業態によって異なります。目安として1か月以内、できれば0.5か月ぐらいを目標にしたいものです。

棚卸資産の在庫保有期間はどのくらいか

例題

棚卸資産：45

平均月商：30（年間売上高360 ÷ 12か月）

（計算式）

❶棚卸資産回転期間 ＝ 棚卸資産 / 平均月商（年間売上高 ÷ 12か月） ＝ 1.5か月

❷棚卸資産回転率 ＝ 売上高 / 棚卸資産 ＝ 8回

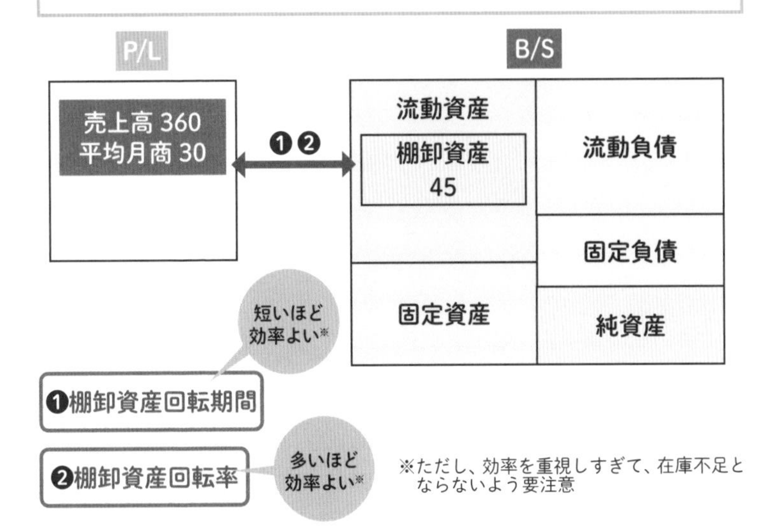

※ただし、効率を重視しすぎて、在庫不足とならないよう要注意

まとめ　経営改善ポイント

□ **棚卸資産の保有高を少なめに、しかも不足が生じないよう適正在庫の管理を徹底することが肝心**

- 特需のための一時買いや大量買いは要注意。安くなるという理由での大量買いは禁物
- 欠陥製品・欠陥仕掛品を出さない
- ルーズな在庫管理（帳簿未記載や実地棚卸の未実施）はしない
- 定期的に実地棚卸を行い帳簿と突き合わせを行う

固定資産の稼働状況と活用速度

～固定資産の稼働状況や活用速度がわかる「固定資産回転率」～

▶「固定資産回転率」指標の意味と計算式

❶固定資産回転率は、建物や機械装置、器具備品などの有形固定資産や無形固定資産および投資その他の資産を含めた固定資産の活用度合、ないし活用速度を表します。この回転率が高ければ十分に固定資産が活用され、投資額が回収されていることを意味し、反対に低ければ固定資産の活用度合が不十分で回収に時間がかかることを意味します。固定資産の中に建設途上の建設仮勘定や投資運用の固定資産などが入っている場合は、厳密にはこれらを除外して計算します。とくに製造業などは生産ラインの稼働率を重要視するので、有形固定資産のみの回転率を計算することも大事です（**❷有形固定資産回転率**という）。

$$❶固定資産回転率 = \frac{売上高}{固定資産}$$

$$❷有形固定資産回転率 = \frac{売上高}{有形固定資産}$$

▶指標基準

固定資産回転率は、業種業態によって相当の違いがあります。**製造業は3.5回以上、卸売・小売業は10回以上、建設業は6回以上が目安で、少なくとも4回以上**は欲しいものです。製造業はどうしても設備投資額が多めになるので、同回転率は少なくなります。

▶ 固定資産の活用速度はどのくらいか

例題

固定資産：120（うち有形固定資産：90）

年間売上高：360

（計算式）

❶固定資産回転率 ＝ $\frac{年間売上高}{固定資産}$ ＝3回

❷有形固定資産回転率 ＝ $\frac{年間売上高}{有形固定資産}$ ＝4回

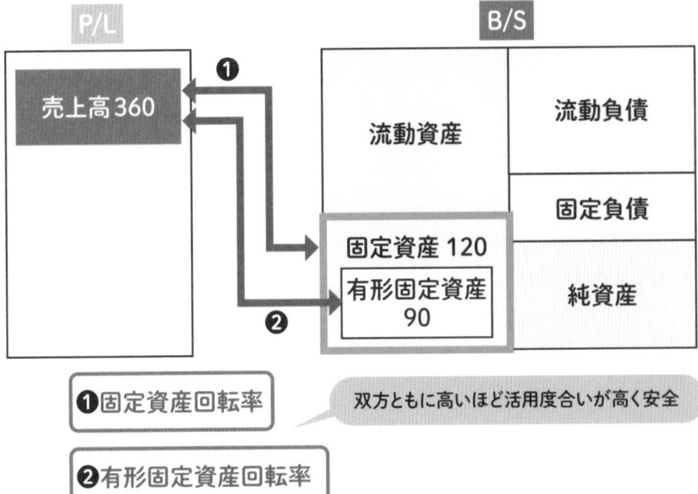

まとめ **経営改善ポイント**

- □ **固定資産への投資は資金が長期に固定化するので、将来性や時流、財務基盤のバランスおよび採算をよく考えて行うことが必要**
  - 投資計画の際、何年で回収できるか（投資回収期間）を考える
  - 無駄・無理な投資はしない
  - 労働生産性との関連を考慮する
  - 営業キャッシュフロー以内で設備投資を考える
  - 借入期間内で投資額が回収できるよう計画する

Column

在庫（棚卸資産）が多いとなぜいけないの？

在庫を多く抱える会社があります。理由はさまざまですが、主に３つの理由が挙げられます。

①親会社から押し込まれる⇒「資金負担が多くなる」

注文もしないのに「押込販売」されることがあります。契約違反として断りたくても引き受けざるを得ない場合がありますが、これは今後の取引や条件に悪影響を恐れてのことと思います。販売計画と適正在庫との関係から、余分なものは断るべきです。

②１単位当たりの単価が安くなる⇒「滞留在庫の温床となる」

単価が安くなるからといって大量に買うべきではありません。臨時の資金（購入資金）が必要であり、コスト（保管費、利息など）がかかり、将来売れなくなるリスクが伴うからです。

③近い将来売れる見込みがある（または品薄が見込まれる）⇒「不良資産の可能性が高まる」

どんな業種でも売れる見込みがあって商売を行っています。近い将来絶対に売れるから、あるいは品薄だからといって買い占めたり、大量に買い込んだりすることは大変危険です。優良な代替品が出る、法律が変わる、為替が大きく変動する、政変などによって注文が取り消されることだってあるのです。

在庫は少なくて営業ができればこれに越したことはありません。過大在庫は、資金繰り、保管に伴う費用やリスクなどに大きく影響をおよぼすので、十分注意して管理しましょう。くれぐれも在庫が「済庫」や「罪庫」にならないよう気をつけてください。

THE BEGINNER'S GUIDE TO FINANCIAL STATEMENT

Part 6

損益計算書（P/L）で見る企業の収益性と生産性

損益計算書から企業の収益性や生産性がわかる

▶財務の収益性と生産性

企業は一定の資本（自己資本と他人資本）を投じて、人を雇用し、設備を設置し、材料を購入して製品を造り（または商品を購入）、これを販売して収益を得る活動を行います。この獲得した収益（売上高）から経営資源を投入してかかった製造原価や仕入原価、販売費及び一般管理費などの諸費用を差し引いて利益を計上します。おなじみの**収益－費用＝利益**のシンプルな計算式です。この利益の出具合が**収益性**と呼ばれるものであり、また投入（インプット）した資源（ヒト・モノ・カネ・時間・場所等）に対してその産出（アウトプット）の割合が**生産性**と呼ばれるものです。

生産性＝産出（アウトプット）÷投入（インプット）の計算式で表されます。「産出」は通常「売上高」や「付加価値」などの項目で、「投入」は総資産、費用、社員数、時間等それぞれ計算目的に合った経営資源項目を使用します。

このように、**企業に投下した資本がどのように運用され成果を上げたかは、収益性や生産性の概念として、損益計算書を中心に確認する**ことができます。

▶収益と費用の構造で企業の安全性を確認できる

収益と費用は期間損益計算において対応しなければなりませんが、**収益と費用の関係は、収益（売上高）の変動に応じて変化する変動費と収益と関係しない一定の固定費に分けられ、その性質とバランス度合で事業の体質や企業の安定度合がわかります。**

▶ 企業に投下した経営資源がどのように運用され成果を上げたか

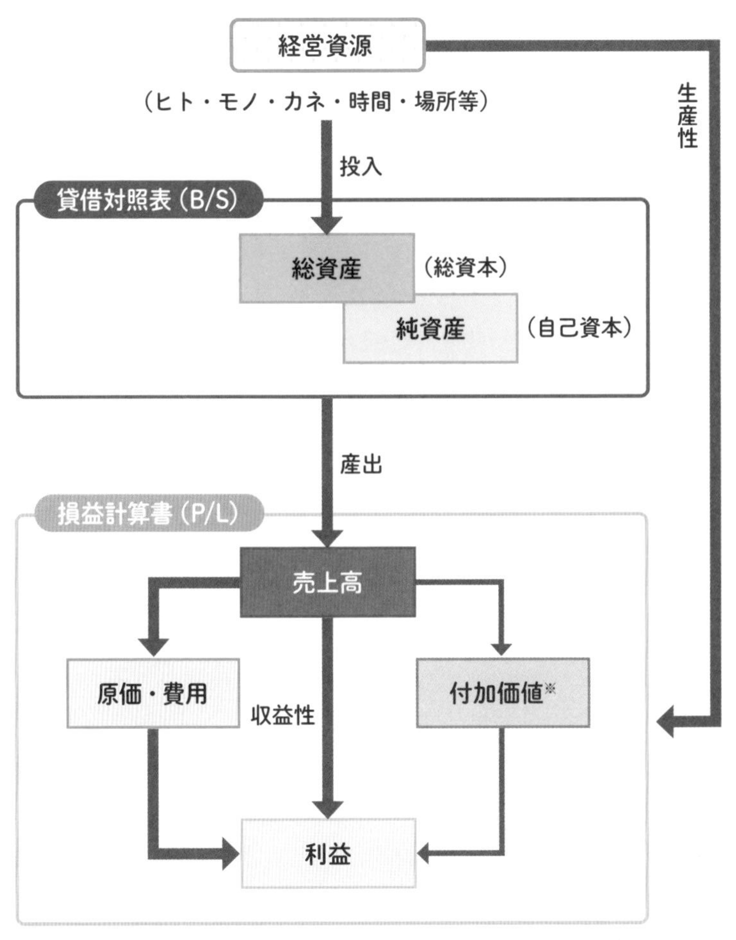

※「付加価値」とは企業が生産などを通じて新たに生み出した価値で、損益計算書には直接表示されない

まとめ

☐ 損益計算書の収益および費用から収益性を、さまざまな経営資源の投入と産出の収益から生産性を見ることができる

総合収益力がわかる「総資産経常利益率（ROA）」

「総資産経常利益率」指標の意味と計算式

運用された資産の総額に対してどれだけの成果（利益）を上げ得たか、この成果の割合を判定して総合的な企業の評価を行います。具体的には**運用された総資産（Assets）に対して、どれだけの成果すなわち利益（経常利益を使用）を得たかの割合を表すのが総資産経常利益率**です。通常**ROA（Return on Assets）と呼ばれ、企業経営の総合収益力を表す指標**として重要視されます。これは運用された総資産（期首、期末の平均値）の利回りと生産力を見るようなもので、収益力と生産性を同時に図れるので、財務分析の王様ともいわれます。

このため**総資産経常利益率は、**次のように**❶売上高経常利益率（収益性）と❷総資産回転率（生産性）に分解**できます。

計算式は次の通りです。

$$総資産経常利益率（ROA）=\frac{経常利益}{総資産}\times 100$$

$$=\overset{❶}{売上高経常利益率}\left(\frac{経常利益}{売上高}\times 100\right)\times\overset{❷}{総資産回転率}\left(\frac{売上高}{総資産}\right)$$

指標基準

高いほど望ましく、**少なくとも5%は確保**したいところです。業種・業態、企業の体質によって異なりますが、できれば税金、危険率および内部留保を見込んで**8%以上は目標に**したいところです。

投入した資産に対してどれだけ利益が生まれたか

例題

売上高：360

経常利益：18

総資産：300（期首、期末の平均値）

（計算式）

$$総資産経常利益率（ROA）=\frac{経常利益}{総資産}\times 100$$

$$=❶売上高経常利益率\left(\frac{経常利益}{売上高}\times 100\right)\times ❷総資産回転率\left(\frac{売上高}{総資産}\right)$$

＝売上高経常利益率5×総資産回転率1.2回＝6％

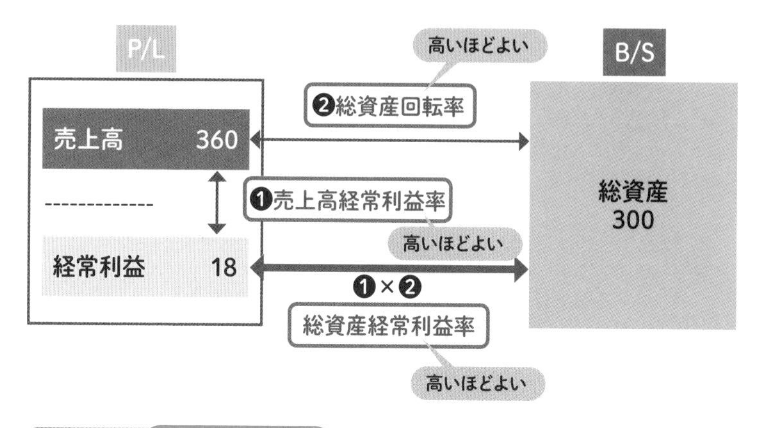

まとめ 経営改善ポイント

□ **投下した総資産の収益力は、企業の総合収益力を表す**

- 資産の運用効率を上げる（総資産回転率の向上）
- 資産の無駄を排除してスリム化を図る（総資産回転率の向上）
- 収益力を向上する（売上高経常利益率の向上）
- 無駄な費用の排除と費用のコントロール（予算管理）を図る（売上高経常利益率の向上）
- 営業外費用（金融費用等）の管理（売上高経常利益率の向上）

株主から見た収益力がわかる「自己資本利益率(ROE)」

「自己資本利益率」指標の意味と計算式

自己資本利益率(ROE:Return On Equity)とは、自己資本(株主資本)に対して、どれだけの当期純利益(Return)を上げ得たかを見るものです。**株主(投資家)は、税金を差し引いた配当の直接の原資対象となる当期純利益にとくに関心があります**。株主(投資家)は、自己資本をどのように効率的に事業運用して、最終果実(利益)の当期純利益を上げたかを見ます。なお自己資本には新株引受権と少数株主持分は含みません(純資産との相違)。また自己資本は期首と期末の平均値の数値を使うのが基本です。

計算式は次のように展開できます。

$$自己資本利益率(ROE) = \frac{当期純利益}{自己資本} \times 100$$

$$= \underset{❶}{売上高当期純利益率}\left(\frac{当期純利益}{売上高} \times 100\right) \times \underset{❷}{自己資本回転率}\left(\frac{売上高}{自己資本}\right)$$

指標基準

8%前後を目安とし、10～15%は目指したいところです。しかし自己資本が分母であるため、自己資本が少なく自己資本比率が低い企業は高めとなります。逆に自己資本が多く自己資本比率が高い企業は低めとなります。ROEは負債がまったく考慮されないので、最適資本構成の中で適切な数値目標が必要です。

▶ 自己資本に対する利益はどのくらいか

例題

売上高：360

当期純利益：13

自己資本：100

（計算式）

$$自己資本利益率（ROE）=\frac{当期純利益}{自己資本}\times 100$$

$$=\underset{❶}{売上高当期純利益率}\left(\frac{当期純利益}{売上高}\times 100\right)\times \underset{❷}{自己資本回転率}\left(\frac{売上高}{自己資本}\right)$$

＝売上高当期純利益率3.6 × 自己資本回転率3.6回＝13%

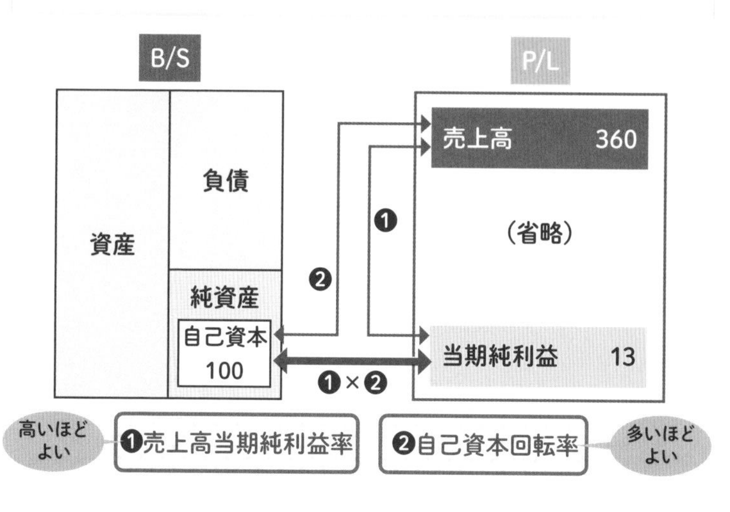

まとめ 経営改善ポイント

☐ **最適資本構成を前提に株主にも配慮しながら、ROEの目標値を設定することが肝心**

- 当期純利益の収益性の向上
- 総資本回転率および自己資本回転率の効率性の向上
- 自己資本比率の安全性に基づいた最適基本構成を考える

企業の経常的な実力を示す「売上高経常利益率」

「売上高経常利益率」指標の意味と計算式

「経常利益」は、本業でもたらされた営業利益に受取利息や雑収入などの営業外収益を加え、支払利息や雑損失などの営業外費用を差し引いた利益です。当該期間の臨時的なものを含まない経常的な利益ですので、経営者の力量が問われる成果の数値で、「経常的な総合収益力」を意味します。**売上高経常利益率は、顧客に貢献した売上高に対してどれだけの経常利益を上げたかの指標**です。

計算式は次の通りです。

$$売上高経常利益率 = \frac{経常利益}{売上高} \times 100$$

経常利益に至るには、売上原価、販売費及び一般管理費、さらに営業外損益の壁を越えてこなければなりません。売上高から売上原価を差し引いて「売上総利益」となり、この売上総利益から販売費及び一般管理費を差し引いて「営業利益」となるので、「売上総利益」および「営業利益」の目標の壁をクリアしていかなければなりません。

指標基準

売上高経常利益率は5%以上を目安に、7%以上を目標にしたいものです。経常利益後の特別損益を考えなければ、経常利益が税金の基礎対象となり、また税引後の当期純利益から借入金の返済や設備投資、さらに株主への配当を考えなければなりません。

企業の実力を示す利益はどのくらいか

例題

売上高：360

経常利益：18

（計算式）

$$売上高経常利益率 = \frac{経常利益}{売上高} \times 100 = 5\%$$

P/L

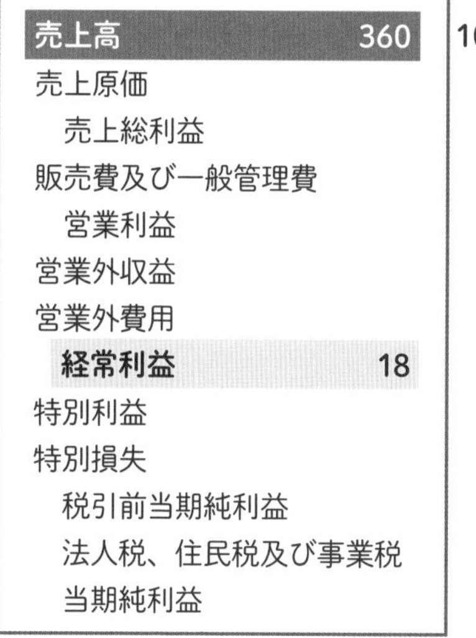

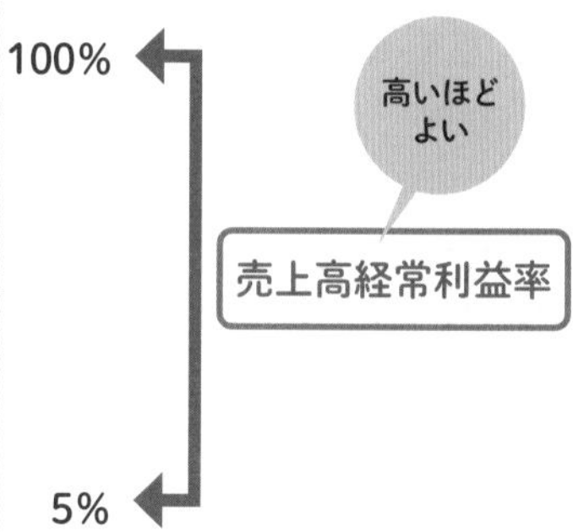

まとめ　経営改善ポイント

- □ **売上高経常利益率は経常的な総合収益力を意味し、売上高を中心に、売上原価、販売費及び一般管理費、さらに営業外損益の壁を越えること**
  - 売上高を上げる工夫と目標管理（付加価値増大策）
  - 売上原価の引き下げ策を考える（付加価値増大策）
  - 販売費及び一般管理費の予算化と予算コントロール

商品・製品自体の収益力がわかる「売上総利益率」

「売上総利益率」指標の意味と計算式

「売上総利益」は売上高から売上原価を差し引いた売買差益で、企業の販売力や商品力の強さを表すものです。したがって**売上総利益率は売上高１単位当たりの儲けの度合いを表し、通常、粗利益率（アラ利益率）**と呼ばれます。商業（小売業や卸売業など）ではとくに重視される指標です。

計算式は次の通りです。

$$売上総利益率 = \frac{売上総利益}{売上高} \times 100$$

指標基準

目安は小売業では30～40%、卸売業では20～30%、製造業では20～40%ですが、40%あたりを目標にしたいものです。これは商品・製品の売買差益なので、業種や事業内容によってまちまちです。商業分野ではこの差益が企業の生命線となるので、扱う商品の数量と回転率によって商品価格や利益率が決まるといってもよいでしょう。たとえば日用品と高額な貴金属商品では「利益率」も「回転率」もまったく異なります。日用品は「低利益率の高回転率」であり、貴金属商品は「高利益率の低回転率」です。また卸売業は扱い量が多いため、「低利益率の高回転率」であり、小売業は個々の販売となるため卸売業に比べて「高利益率の低回転率」になります。

商品・製品の売買差益はどのくらいか

例題

売上高：360

売上総利益：144　（売上原価216）

（計算式）

$$売上総利益率 = \frac{売上総利益}{売上高} \times 100 = 40\%$$

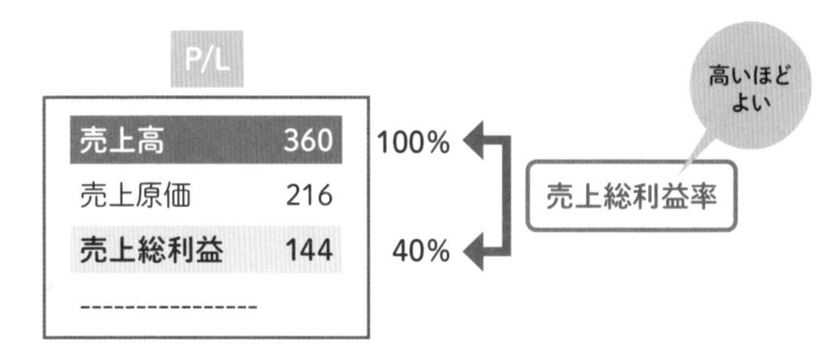

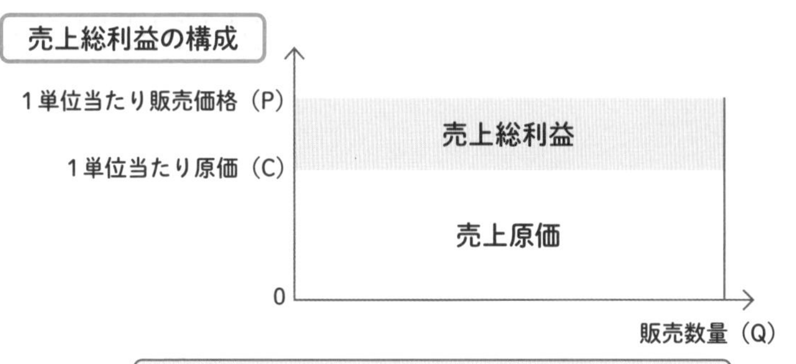

売上総利益＝売上高（P × Q）－売上原価（C × Q）

まとめ　経営改善ポイント

☐ **売上総利益率は、売上高1単位当たりの儲けの度合いを表す**

- 効果的なマーケティング戦略
- 営業力の強化
- 取扱商品等の選定（商品構成等）
- 顧客管理の徹底
- 仕入管理と在庫管理の徹底
- 不良品や滞留在庫を出さない

本業の儲け具合がわかる「売上高営業利益率」

▶「売上高営業利益率」指標の意味と計算式

「営業利益」は、商品・製品の売買差益である売上総利益から販売費及び一般管理費を差し引いたもので、本業の利益すなわち本業での儲けを表します。したがって、**売上高営業利益率は営業活動を行った結果の売上高に対する本業の儲け度合を表す**ものです。この数値が赤字であった場合には、もはや事業を行う資格がないといわれても仕方ありません。このため、売上総利益の向上対策と合わせて、販売活動（営業費）の効率性向上、一般管理費（人件費や賃借料などの固定経費）の有効なコントロールが求められます。

計算式は次の通りです。

$$\text{売上高営業利益率} = \frac{\text{営業利益}}{\text{売上高}} \times 100$$

▶指標基準

目安として5～8%、目標は8%以上にしたいものです。売上営業利益率は、「売上高」と「売上原価」そして「販売費及び一般管理費」の三大項目から成り立っており、本業の儲け度合を示すことから、あらゆる業種で重要視される指標です。業種・業態によってその水準は一概には限定できませんが、営業利益が金融費用（支払利息）を上回り、税金や借入金返済額を支払ってもその余剰で内部留保ができるよう目標設定したいところです。

▶ 本業の儲けはどのくらいか

例題

売上高：360

売上総利益：144　（売上原価216）

販売費及び一般管理費：119

営業利益：25

（計算式）

$$売上高営業利益率 = \frac{営業利益}{売上高} \times 100 = 6.9\%$$

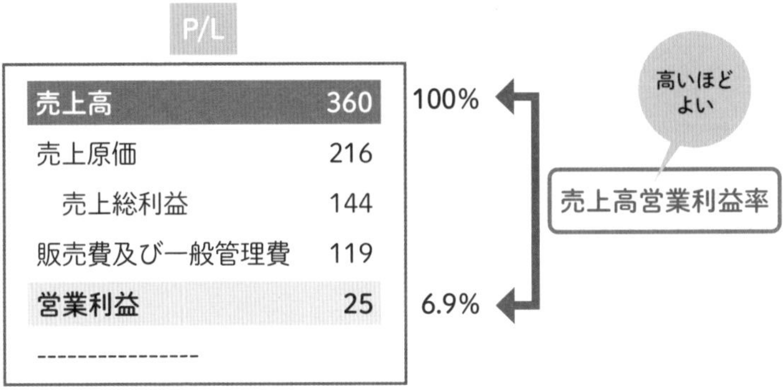

P/L

売上高	360
売上原価	216
売上総利益	144
販売費及び一般管理費	119
営業利益	25

100%
6.9%
売上高営業利益率
高いほどよい

まとめ　経営改善ポイント

□ **売上高営業利益率は、売上高に対する本業の儲け（営業利益）の度合いを表す**

- 売上総利益の向上確保（卸売・小売業の場合は商品構成による売買差益、メーカーの場合は付加価値の増大など）
- 営業力の強化
- 設備投資の計画性
- 販売促進費や広告宣伝費などの効果性（費用対効果）の検討
- 一般管理費の予算化と予算コントロール

借り入れ力がわかる「インタレスト・カバレッジ・レシオ」

「インタレスト・カバレッジ・レシオ」指標の意味と計算式

事業は自己資本のみならず他人資本によって運営されています。とりわけ他人資本の借入金などは資金調達に欠かせないものです。**インタレスト・カバレッジ・レシオ（ICR：Interest Coverage Ratio）は営業利益をベースに、企業の借入金等の利息の支払い能力を計算して、どのくらいまでなら借り入れ可能かを見る企業の収益力から見た安全性の指標**です。要するに**営業利益に受取利息や受取配当金を加えた数値が支払利息等（金融費用）の何倍あるかを見るもの**です。計算式は次の通りです。

$$\text{インタレスト・カバレッジ・レシオ} = \frac{\text{営業利益＋受取利息・受取配当金}}{\text{支払利息}}$$

式の分子の「営業利益＋受取利息・受取配当金」が「支払利息」の何倍あるかを見れば、追加借り入れの余裕度がわかります。たとえばこの値が1倍であれば、分子と分母が同額であるため、まったく借り入れする余裕がないということであり、5倍や10倍あれば、まだ余裕があるということです。「借入金依存度」などとの関係で、よく確認する必要があります。

指標基準

目安として5倍以上、目標は10倍以上にしたいものですが、金利などの市場環境や経済環境によって、何倍あればよいかは一概にはいえません。世が低金利時代か高金利時代か、または企業が成長期か否かによって異なるので注意してください。

本業の儲けと支払利息の関係で借り入れ力をつかむ

例題

営業利益：25

受取利息・受取配当金：1

支払利息：3

（計算式）

$$\text{インタレスト・カバレッジ・レシオ} = \frac{\text{営業利益}+\text{受取利息・受取配当金}}{\text{支払利息}} = 8.7\text{倍}$$

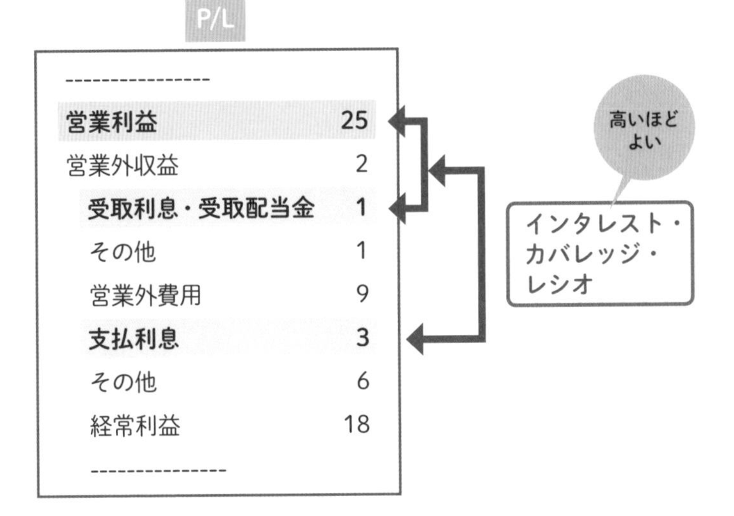

まとめ　経営改善ポイント

- □ **インタレスト・カバレッジ・レシオは、営業利益をベースに、企業の借入金などの利息の支払い能力を計算して、どのくらいまでなら借入可能かを見る**
- 本業の利益を確保する
- 過大な借り入れをしない
- 金利、返済期限、担保・保証など借り入れ条件をよく検討する

キャッシュフローに近い本業収益率の「EBITDAマージン」

「EBITDAマージン」指標の意味と計算式

EBITDAマージンとは、売上高に占めるEBITDAの割合で、売上高からどれくらいのEBITDAを生み出したかを示す指標です。

EBITDAは、Earnings Before Interest, Taxes, Depreciation and Amortization の頭文字をとった財務指標で、「イービットディエー」や「イービットダ」と呼ばれています。これはInterest利払い、Taxes税金、Depreciation有形固定資産の減価償却費、Amortization無形固定資産の減価償却費を差し引く前の利益です。「EBITDA」によって、キャッシュフローに近い本業利益を知ることができ、売上高との割合によってその達成度合いがわかります。国によって金利や税率、減価償却が異なるため、これらを除外すれば、国際間の企業比較や異業種企業間の比較、あるいは企業価値の算定にも活用できます。

次の通り、EBITDAにはいくつかの計算方法があります。

EBITDA ＝営業利益＋減価償却費
＝経常利益＋支払利息＋減価償却費
＝税引前当期利益＋特別損益＋支払利息＋減価償却費

EBITDAマージンの計算式は以下の通りです。

$$\text{EBITDAマージン} = \frac{\text{EBITDA}}{\text{売上高}} \times 100$$

指標基準

目安として8%以上、目標は10%以上にしたいものです。

キャッシュフローに近い本業利益の収益力を見る

例題

売上高：360

営業利益：25

減価償却費（一般管理費）：11

EBITDA ＝営業利益＋減価償却費＝36

（計算式）

$$\text{EBITDAマージン} = \frac{\text{EBITDA}}{\text{売上高}} \times 100 = 10\%$$

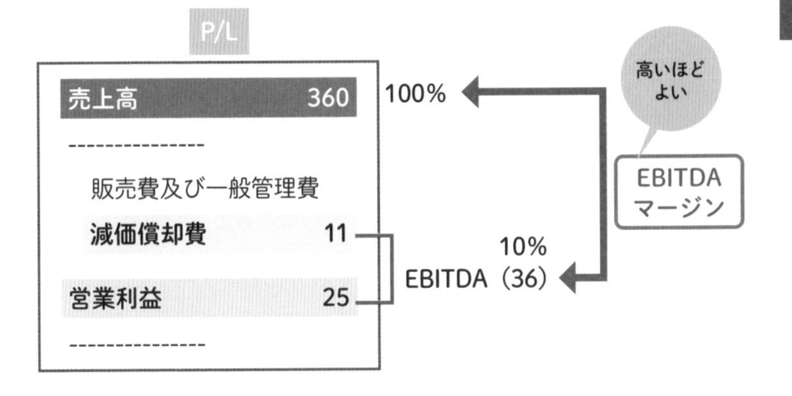

まとめ　経営改善ポイント

- □ **EBITDAマージンは、売上高に占めるEBITDAの割合で、売上高からどれくらいのEBITDAを生み出したかを示し、キャッシュフローに近い本業利益の収益力を見ることができる**
- 本業の利益を確保する
- 健全な設備投資による減価償却費か確認する
- キャッシュフローの健全性を確認する

付加価値を生み出す生産効率「付加価値率」

▶「付加価値率」指標の意味と計算式

❶付加価値とは、企業が新たに生み出した価値をいいます。**すなわち外部から購入した素材などに新たに付加した生産物の価値**のことです。製造業には欠かせない重要な経営指標です。付加価値を計算するには、控除法と加算法があります。

控除法：売上高－外部購入価値（直接・間接材料費＋買入部品費＋外注加工費＋運賃など）

加算法：経常利益＋人件費＋金融費用＋賃借料＋租税公課＋減価償却費

控除法と加算法との計算上の「付加価値」には若干の相違が見られます。加算法による上記費用に該当しない保険料や交通費などは、控除法による付加価値には含まれます。一般的には控除法で計算されるのが多いようです。**❷付加価値率とは、付加価値を売上高で除した割合で、売上高に対してどれだけの付加価値を生み出したか、その生産効率と収益力**を表します。

計算式は次の通りです。

$$❷付加価値率 = \frac{付加価値}{売上高} \times 100$$

▶指標基準

業種・業態によって異なりますが、目安として30%以上、目標は35%以上にしたいものです。

付加価値で経営勝負

例題

売上高：360

外部購入価値（材料費100、外注加工費140など）：240

（計算式）

❶付加価値＝売上高－外部購入価値＝120

$$❷付加価値率 = \frac{付加価値}{売上高} \times 100 = 33\%$$

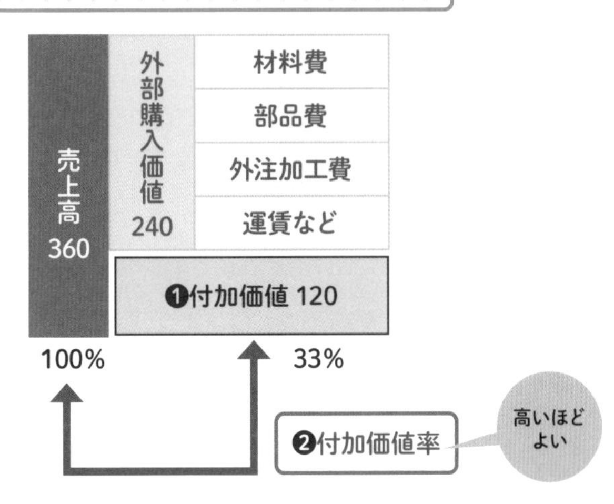

まとめ　経営改善ポイント

- ☐ **付加価値とは企業が新たに生み出した価値。付加価値率は付加価値を売上高で除した割合で、付加価値を生み出す生産効率と収益力を表す**
  - 付加価値の高い製品を創り出す(製品力)
  - 外部購入先の選定と品質および価格コントロール
  - 工程管理や品質管理等生産管理の充実
  - 販売力の強化

人材の生産性（労働生産性）は「一人当たりの付加価値」で測る

「一人当たりの付加価値」指標の意味と計算式

一人当たりの付加価値とは付加価値を人員数で除した値で、労働生産性を表します。これは付加価値率（製品力）と一人当たりの売上高（人材の販売効率＝販売力）に分解できます。なお、近年、人材を人財と書いて社員を重要視している企業が増えています。

付加価値の高い製品を創造し、人材を精鋭化し営業力などを強化することによって、労働生産性を高めることができます。この指標は、製品力（❶付加価値率）と販売力（❷一人当たりの売上高）に依存しており、とても重要です。なお卸売業、小売業などは付加価値を「営業利益」に置き換えて算定します。

その計算式は次の通りです。

$$\text{一人当たりの付加価値} = \frac{\text{付加価値}}{\text{（平均）社員数}}$$

$$= \overset{❶}{\text{付加価値率}}\left(\frac{\text{売上高}}{\text{付加価値}}\times 100\right) \times \overset{❷}{\text{一人当たりの売上高}}\left(\frac{\text{売上高}}{\text{（平均）社員数}}\right)$$

指標基準

一人当たりの付加価値は各社によって適正な目安と目標を決めなければなりません。「付加価値率」の目標値、「一人当たりの売上高」の目標値をそれぞれ設定して、「一人当たりの付加価値」の目標値を決めていくことが大切です。

▶ 労働生産性は付加価値率と関係する

例題

売上高：360

付加価値：120（※p.127参照）

（平均）社員数：25

（計算式）

$$一人当たりの付加価値 = \frac{付加価値}{（平均）社員数} = 4.8$$

$$= ❶付加価値率\left(\frac{付加価値}{売上高} \times 100\right) \times ❷一人当たりの売上高\left(\frac{売上高}{（平均）社員数}\right)$$

＝付加価値率33％×一人当たりの売上高14.4＝4.8

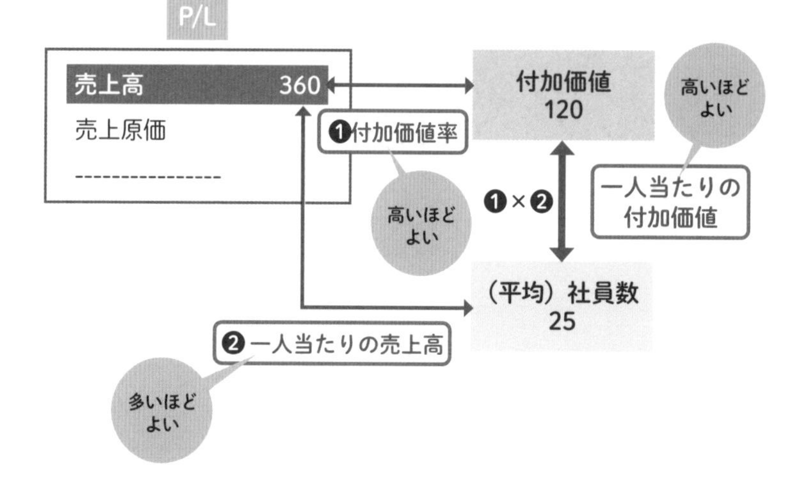

まとめ **経営改善ポイント**

- □ **一人当たりの付加価値は付加価値を人員数で除した値で、労働生産性を表す**
  - 付加価値率（製品力）を高める
  - 一人当たりの売上高（販売力）を高める

人件費の分配状況は「労働分配率」で見る

「労働分配率」指標の意味と計算式

労働分配率とは、付加価値（卸売業や小売業は売上総利益）に対してどれだけの人件費を分配しているかを見るものです。これは低いほど企業の収益力があるといわれますが、計算式の分子の人件費を抑えることに力点を置いては社員のやる気をそぐことになります。分子の人件費の増加を図りながら、分母の付加価値増加をもたらすように努力し、双方に力点を置いた経営をしていくことが必要です。すなわち人件費の増加以上に付加価値を増加することが大事です。なお「労働分配率」は、❶一人当たりの人件費と❷労働生産性に分解でき、「一人当たりの人件費」以上に「労働生産性」をアップさせれば「労働分配率」が低くなります。

計算式は次の通りです。

$$労働分配率 = \frac{人件費}{付加価値（または売上総利益）} \times 100$$

$$= \overset{❶}{一人当たりの人件費}\left(\frac{人件費}{（平均）社員数}\right)$$

$$\div \overset{❷}{労働生産性}\left(\frac{付加価値（または売上総利益）}{（平均）社員数}\right) \times 100$$

指標基準

資本集約型と労働集約型など、業種・業態によって異なりますが、**目安として50～55%、目標は50%未満にしたい**ものです。

▶ 人件費の増加以上に付加価値の増加を測る

例題

付加価値：120（※p.127参照）

（平均）社員数：25

人件費：70

（計算式）

$$労働分配率 = \frac{人件費}{付加価値（または売上総利益）} \times 100$$

$$= ❶一人当たりの人件費\left(\frac{人件費}{（平均）社員数}\right)$$

$$\div ❷労働生産性\left(\frac{付加価値（または売上総利益）}{（平均）社員数}\right) \times 100$$

＝（一人当たりの人件費2.8 ÷ 労働生産性4.8）× 100 ＝ 58%

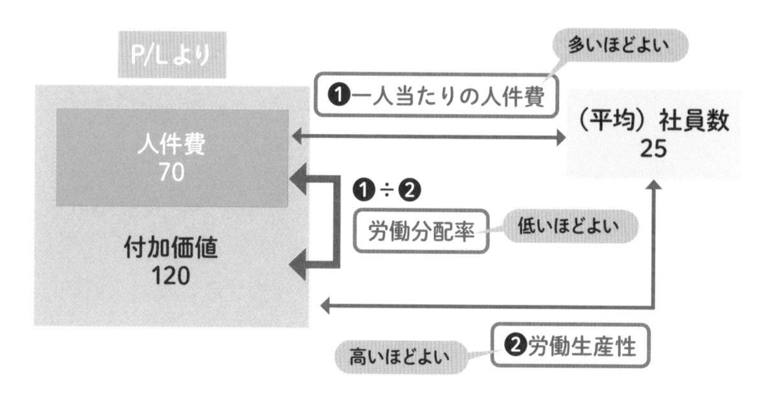

まとめ　経営改善ポイント

□ **労働分配率は、付加価値（小売業は売上総利益）に対してどれだけの人件費を分配しているかを見るもので、人件費の増加以上に付加価値の増加を測ることが肝心**

- 適正な人件費の分配
- 付加価値を高める工夫（労働生産性の向上）

企業の収益耐震力がわかる「損益分岐点」と「損益分岐点比率」

▶「損益分岐点」「損益分岐点比率」指標の意味と計算式

❶損益分岐点（BEP：Break Even Point）とは、利益も損失も生じない損益トントンの売上高です。要するに**「売上高－費用＝0」のときの売上高**をいいます。「費用」には売上高に応じて変動する商品仕入や材料費、外注費などの「変動費」と売上高に関係なく生じる人件費や家賃、リース料などの「固定費」があり、各企業の変動費と固定費の事業性格により損益分岐点が変わっていきます。

計算式は次の通りです。

$$\text{❶損益分岐点} = \frac{\text{固定費}}{1-\dfrac{\text{変動費}}{\text{売上高}}} = \frac{\text{固定費}}{\text{限界利益率}}$$

「限界利益」は売上高から変動費を差し引いたもので、これを売上高で除したものが「限界利益率」といわれるものです。限界利益（売上高－変動費）＝固定費となるときの売上高が損益分岐点で、固定費を限界利益率で除して求めます。**❷損益分岐点比率は損益分岐点の位置であり、実際の売上高に対して損益分岐点の売上高がどの位置にあるかを表します**。計算式は次の通りです。

❷損益分岐点比率＝損益分岐点の売上高÷実際の売上高×100

低い位置ほど収益の耐震力（不況時における抵抗力）があり、反対に高い位置ほどその耐震力は弱くなります。

▶指標基準

目安として80%、目標は75%未満にしたいものです。

黒字、赤字の分岐点の売上高と収益の耐震力

例題

売上高：360

変動費：240　固定費：98

限界利益：120　限界利益率：33.3%（限界利益÷売上高）

（計算式）

❶損益分岐点＝固定費98÷限界利益率33.3%＝294

❷損益分岐点比率＝損益分岐点294÷売上高360×100＝82%

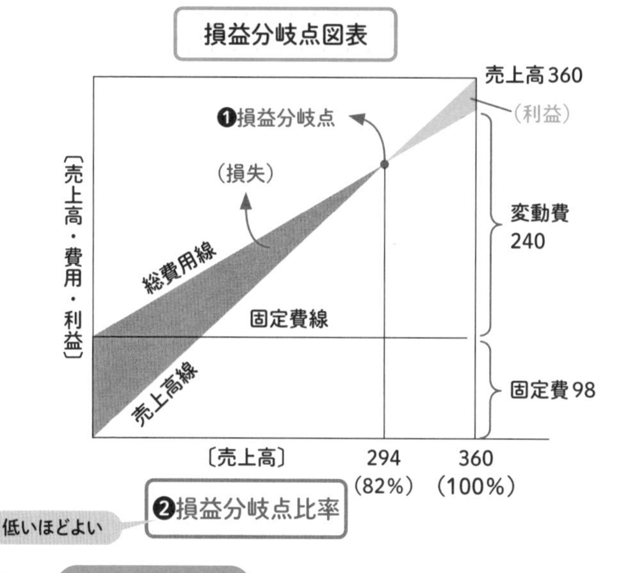

まとめ　経営改善ポイント

□ **損益分岐点とは、利益も損失も生じない損益トントンの売上高。損益分岐点比率は、実際の売上高に対して損益分岐点の売上高が、どの位置にあるかを表す**

- 材料費など変動費を下げる工夫
- 固定費を下げる工夫
- 限界利益を上げる工夫（付加価値製品の開発や改善）
- 販売単価や販売数量を上げる工夫

企業の成長度合いがわかる

▶成長度合いの指標の意味と計算式

前年度の比較や推移から企業の成長度合いを見ることができます。企業は「ゴーイングコンサーン」が前提で、事業が継続して企業存続していかなければなりません。そのためにはビジョンに向かって成長していくことが求められます。損益計算書と貸借対照表を基に、主に次の項目等の成長度合いを見ます。

それぞれの計算式は次の通りです。

売上高増加率：前期と比べた今期の売上高の増加率

（当期売上高－前期売上高）÷前期売上高×100

労働生産性増加率：前期と比べた今期の労働生産性の増加率

（当期労働生産性－前期労働生産性）÷前期労働生産性×100

経常利益増加率：前期と比べた今期の経常利益の増加率

（当期経常利益－前期経常利益）÷前期経常利益×100

自己資本増加率：前期と比べた今期の自己資本の増加率

（当期自己資本－前期自己資本）÷前期自己資本×100

売上高などの推移を見るのに推移グラフを作成するのも有益です。

▶指標基準

各社各年度によって異なりますが、**目安として5%、目標は7%以上にしたい**ものです。

損益計算書などの過去の比較や推移などから成長の度合いを見る

例題

前期比較

増加率が高いほどよい

	当期	前期	増減	増減率
売上高	360	340	20	5.9%
労働生産性	4.8	4.6	0.2	4.3%
経常利益	18	15	3	20%
自己資本	100	87	13	14.9%

売上高推移

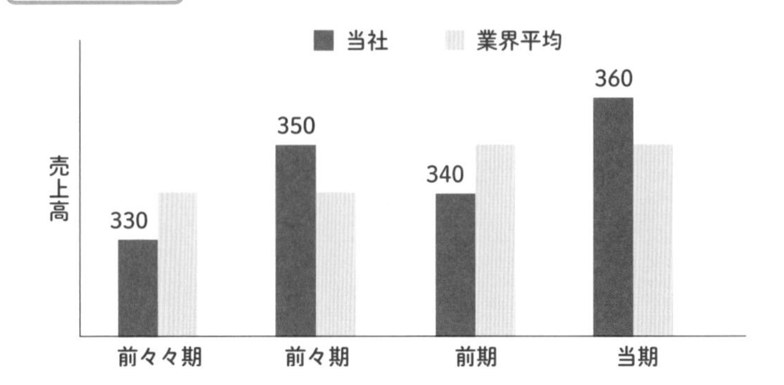

まとめ　経営改善ポイント

□ 前年度の比較や推移から企業の成長度合いを見る

- ビジョンや中・長期計画を策定しその進捗度合を見る
- 売上高偏重主義になっていないかを確認する
- 社会変化、経済変化と合っているか確認する
- 財政とのバランスが合っているか確認する

Column

木下藤吉郎の人を動かす術（労働生産性と報酬分配）

『新書太閤記』吉川英治著の一場面（集約）です。

―夏の暴風雨で城壁の石垣や塀が大破したため、信長は普請奉行に命じて城壁の修理にあたらせたが、二十日かかっても修理は一向にはかどらなかった。藤吉郎は出仕のたびに工事現場を通っていくが、あきれ返って「自分なら3日で竣工できる」と大言を吐いた。信長は「ならば」と、藤吉郎に普請奉行の大役を命じた。藤吉郎に成算があってのことかそうでないかわからないが、翌日石工、大工、左官など職人たちを集めて、組織、配置、割り当てなどを全員に言い渡して始まった。しかし、魂が入っておらず進まない。藤吉郎はこれを察して言い放った。「できなければわしが腹を切ればすむ」と。さらに「ただ心配といえば、俺の一個の命よりお前らの住んでおるこの国の運命が心配だ。これしきの普請に、二十日もかかっているような状態では、そうした心根ではこの国は亡びる。ただ城壁を修理しているようだが、国の興亡は城にあるわけではなく、お前らの心の中にある。領民こそが城壁である」と説得した。これを聞いて大工の棟梁たちは藤吉郎の真実の言葉に打たれて詫び、職人たちも目が覚め、それ以来見事城壁修理は完了した。信長は早朝に工事現場を見分しその城壁の見事さに感嘆するとともに、残りの材木や石やごみがすべてきれいに片づけられていることに驚いた。

停滞していた「未成工事」（資産）を僅か3日間という短期間で完成工事に導き（高い労働生産性）、職人たちへの分配を大きく上回る加増を与えた（一人当たりの高い賃金）ことは驚くべき経営手腕といえます。「人を動かす」ことの見本というべき逸話です。

THE BEGINNER'S GUIDE TO FINANCIAL STATEMENT

Part 7

キャッシュフロー計算書(C/F)で見る資金創出状況

キャッシュフロー計算書から企業の資金創出状況がわかる

▶企業の特徴と財務の安全性を資金の動きから見る

貸借対照表（B/S）や損益計算書（P/L）は、資金の動きを表すキャッシュフローの状況は教えてくれません。いくら黒字になっても支払うお金がなければ倒産します（黒字倒産という）。また、いくら一時のお金があっても借入金の返済に追われて、それを押さえられては運転資金などに使えなくなり窮地に陥ります。そこで**財務の安全性を資金の動きから見て判断し、必要な対策を打つことが必要です。それに役立つのがキャッシュフロー計算書（C/F）**です。キャッシュフロー計算書から各企業は以下のような特徴をもつことがわかってきます。

健康優良型：本業の収支はプラスで、営業活動によるキャッシュフロー（以下「営業C/F」）の範囲内で必要な投資（投資活動によるキャッシュフロー〈以下「投資C/F」〉）を施し、さらにその余剰金で借入金の返済などを行い望ましい「健康なキャッシュフロー計算書」を作っている

積極投資型：本業の収支はプラスで、営業C/Fの上に財務活動によるキャッシュフロー（以下「財務C/F」）の力（借入金など）を借りて、積極的な投資を行う

財務体質改善型：本業の収支はなんとかプラスであるが、将来のリスクを考慮し、財務体質改善のために不要な資産を処分して資金を作り、これを借入金の返済に充てている

危機対応型：本業の収支はマイナスで、投資を行う余力はなく資産の処分などで資金を捻出し借入金の返済に充てて危機に対処している

資金の増減内容とキャッシュフローから見た企業の態様

資金増減の主な項目

C/F	項目	資金増加要因	資金減少要因
営業C/F	利益 減価償却費 売上債権 在庫 仕入債務	黒字 計上 前年比減 前年比減 前年比増	赤字 —— 前年比増 前年比増 前年比減
投資C/F	投資資産	前年比減	前年比増
財務C/F	資本金等 借入金	前年比増 前年比増	前年比減 前年比減

例題

キャッシュフローから見た企業の特徴例

	A社	B社	C社	D社
営業C/F	30	20	10	△30
投資C/F	△12	△70	40	50
財務C/F	△8	40	△40	△40
増減額	10	△10	10	△20
特徴が見えてくる	健康優良型	積極投資型	財務体質改善型	危機対応型

まとめ　経営改善ポイント

- □ 資金の創出を図るのは利益の計上が第一だが、黒字倒産を避けるには運転資金の管理や投資C/Fや財務C/Fの管理も重要。キャッシュフローのタイプを認識し、対応を図ること

営業C/Fの創出度合いを見る「キャッシュフローマージン」

「キャッシュフローマージン」指標の意味と計算式

事業は資金を生み出さなければ意味がありませんが、資金創出の筆頭に挙げられるのが本業からの「営業C/F」です。この営業C/Fの創出具合で効率的に資金を生み出しているか否かがわかります。**❶キャッシュフローマージンは、売上高に対してどれだけの資金（営業C/F）を生み出したかを測る指標**です。

営業C/Fは本業によるキャッシュフローといっても、損益計算書の「営業利益」とは異なります。もちろん「資金」と「利益」の違いはありますが、それ以外にその範囲については、営業C/Fは損益計算書の「営業利益」より広く把握されます。たとえば、受取利息・受取配当金や支払利息は、損益計算書では営業外の収益や費用に計上されますが、キャッシュフロー計算書では営業C/Fに含めます。

なお**総資本に対して生み出した営業C/Fの割合を❷総資本営業キャッシュフロー比率**といい、企業力を表します。

それぞれの計算式は次の通りです。

$$❶キャッシュフローマージン = \frac{営業C/F}{売上高} \times 100$$

$$❷総資本営業キャッシュフロー比率 = \frac{営業C/F}{総資本} \times 100$$

指標基準

目安として6%、目標は8%以上にしたいところです。

売上高や総資本に対してどれだけ営業C/Fを生み出したか

例題

売上高：360　総資本：300

営業C/F：22

（計算式）

❶キャッシュフローマージン $= \dfrac{\text{営業C/F}}{\text{売上高}} \times 100 = 6\%$

❷総資本営業キャッシュフロー比率※ $= \dfrac{\text{営業C/F}}{\text{総資本}} \times 100 = 7\%$

※総資本営業キャッシュフロー比率は、キャッシュフローマージンに総資本回転率を乗じたもの

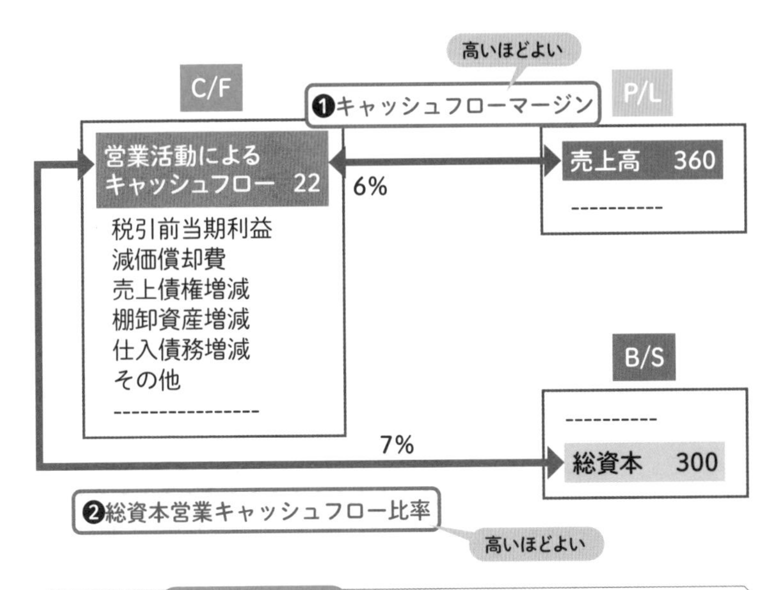

まとめ　経営改善ポイント

- □ キャッシュフローマージンは、売上高に対してどれだけの資金（営業C/F）を生み出したかを測る指標で、効率的に資金を生み出しているか否かがわかる
  - 収益性の向上を図る
  - 運転資金の管理を図る

自由に使える資金の創出度合いがわかる「フリー・キャッシュフロー」

「フリー・キャッシュフロー」指標の意味と計算式

企業は本業でどれだけ自由に使える資金を生み出すことができるか、また生み出した資金をどのように使うかが重要な課題です。企業が自由に使える資金がどれだけあるかを把握しなければ経営戦略に伴う資金管理ができません。

フリー・キャッシュフロー（FCF）とは、本業で生み出した営業C/Fから事業を維持していくために必要な設備投資等の支出（投資C/F）を差し引いたものです。

通常は次の計算式で行います。

フリー・キャッシュフロー＝営業C/F－投資C/F

なお投資C/Fを、通常企業維持に必要な設備投資と新規事業展開に伴う設備投資の2つに分けて、企業維持に必要な設備投資のみを差し引いてFCFを算出する方法もあります（p.76参照）。各企業が管理しやすい方法を用いるとよいでしょう。

このFCFは、企業の方針にしたがっていろいろな使い道があります。たとえば**事業規模の拡大や新規投資、株主への配当、借入金の返済による他人資本の圧縮など**があります。

指標基準

とくに基準はありません。企業の実態に応じ、経営方針にしたがって決めます。

▶ 企業が自由に使える資金をどれだけ生み出せるか

例題

営業C/F：22

投資C/F：10

（計算式）

フリー・キャッシュフロー＝営業C/F－投資C/F＝12

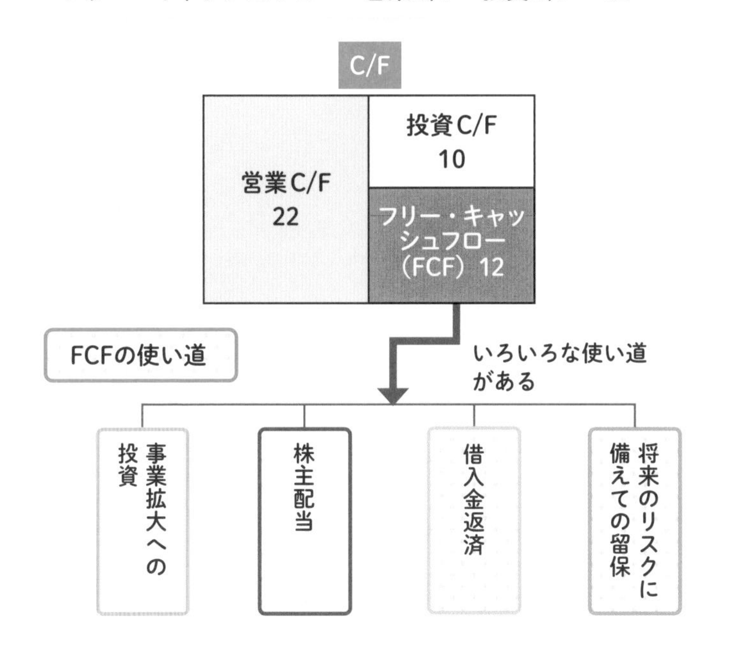

まとめ　経営改善ポイント

- □ **フリー・キャッシュフロー（FCF）とは、本業で生み出した営業キャッシュフローから事業を維持していくために必要な設備投資などの支出を差し引いたもので、自由に使える資金**
  - 営業C/Fを生み出す
  - 適切な設備投資計画を立てる
  - FCFの合理的な使い道を考える

Column

土地を買って本社屋を建てると会社はおかしくなるか?

ビジネスの世界では、「土地を買って本社屋を建てると会社がおかしくなる」とよくいわれます。確かにそういう例はありますが、立派に存続している会社も多くあります。それではどうして会社がおかしくなる場合があるのでしょうか。

①土地、建物を借金で買うと返済が大変

すべてを自己資金で購入する企業はめったにありません。中小企業の場合、ほとんど社長の保有している住宅や購入する不動産を担保に銀行から借り入れて不動産を手に入れます。この場合借り入れた元本と利息の返済額を、返済期間内に確保できた利益で賄いきれれば問題は生じません。要は、

(税引後当期利益+減価償却費)>借金の元本返済額

であれば企業が即おかしくなることはありません。

②土地の購入支出は経費にならない

本社屋の購入支出は減価償却を通じて経費(費用)処理され資金を生む元になりますが(その分税金がかからない)、土地の購入支出は経費となりません。費用にならないものを借金で購入すると、利益が出ても元本の返済と利息や税金負担で資金繰りは苦しくなります。どうしても不動産を手に入れたい場合は、「本業に活用されるものであり、たとえ事業転換する場合でも十分有効に活用される物件であること」「余裕の手元資金があり自己資本(および長期借入金)で賄えるような資金計画が成り立つこと」「長期的に見て事業の見通しが立つこと」「営業 C/F で借金が 10 年から 15 年を目安に返済できること」などの条件をクリアすることが大切です。

付録①

会社と税金の関係

●税金の種類

納税は国家が成り立ち、国民の生活が健康で豊かになるように国民が納めなければならない義務（いわゆる社会の会費）です。税金は次のような仕組み（分類）から成り立っています。

税の徴収者 （どこに収めるか）	国が徴収するのが**国税** 地方（都道府県、市区町村）が徴収するのが**地方税**
負担者と納税者	負担者と納税者が一致する所得税や法人税は**直接税** 負担者と納税者が異なる消費税等は**間接税**
課税対象	個人や会社の所得に対して課税する**所得課税** 物品やサービスの消費に対して課税する**消費課税** 土地や建物などの資産に対して課する**資産課税**

●法人にかかわる税金

法人には法人税をはじめ、さまざまな税金が生じます。

法人税	法人の利益を基に一定の調整（加算、減算）を加えた「所得」に対してかかる税金
法人住民税	資本金等に応じた均等割額と法人税額に応じた法人割額
消費税	商品やサービスに対して納める税金で消費者が負担
その他の国税	契約書や領収書にかかる印紙税 不動産登記や会社登記にかかる登録免許税など
その他の地方税	都道府県民税として事業税や自動車税、地方消費税、不動産取得税など、市町村民税として固定資産税など

●会計の法人利益と税金の法人所得の違い

会計は一定期間における経営成績と財政状態を正しく計算し報告することが目的で、**損益計算は「利益＝収益－費用」**で計算されます。一方、法人税法は、正確かつ公平に課税し、政策上の課税目的で、**所得計算は「所得＝益金－損金」**として計算されます。企業会計の「収益」に準じたものは税法では**益金**といい、「費用」は**損金**といいます。その違いは次の通りです。

「収益」ではないが 「益金」に入るもの	加算項目の**益金算入**という (収益経常認識ズレによる収益計上しなかった売上等)
「収益」ではあるが 「益金」に入らないもの	減算項目の**益金不算入**という (受取配当金は課税済み配当支払会社との二重課税を排除するため)
「費用」ではあるが 「損金」にならないもの	加算項目の**損金不算入**という (賞与引当金繰入額など債務の確定しないもの)
「費用」ではないが 「損金」になるもの	減算項目の**損金算入**という (国から補助金を受けて固定資産を取得した場合、補助金相当額を純資産に計上した圧縮積立金)

このように**収益と益金、費用と損金は一致しない場合があります。**税法は「加算」となる項目、「減算」となる項目を会計上の「利益」(税引前当期純利益) に加減算調整 (申告調整という) をして「所得」を計算します。法人税はこの所得をベースに計算されます。

所得＝税引前当期純利益＋加算項目－減算項目

なお、このように会計と税法が異なる面が生じ、必ずしも会計の税引前当期純利益に見合う法人税等が計上されないため、これを合理的に対応させるための**税効果会計**が導入されています。

●赤字なのに法人税がかかることがあるの?

p.146の「会計の法人利益と税金の法人所得の違い」で見てきたように、会計の損益計算「利益=収益-費用」のルールと税法の所得計算「所得=益金-損金」のルールは異なります。このため、会計の損益計算書上の「税引前当期純利益」と「法人税等の額」との対応が乖離し、合理的に対応しない場合がよくあります。

たとえば、会計上費用として処理したものが法人税法上損金に算入されない例として次のような項目があります。

- **役員報酬の定期同額給与以外に支払った報酬や賞与(ただし、税務署へ予め届出したものは除く)**
- **交際費の損金算入の限度額を超える支出**
- **寄付金の損金算入の限度額を超える支出**
- **有価証券や棚卸資産の評価損(税法上損金に認められない部分)**
- **賞与引当金や退職給付引当金など税法上損金算入が認められない部分**
- **法人税納付額や延滞税**
- **罰金**

税法上損金に認められない費用(損金不算入)が損益計算書に計上され赤字になった場合でも、所得計算によって所得が発生し税金が発生することがあります。損益計算書上、税引前当期純損失の後に法人税等が計上されることになるのです。つまり赤字なのに税金(法人税等)が発生する状況になってしまいます。

なお**税効果会計**が導入され、「会計上あるべき税金費用」と「当期に納税すべき税金費用」の乖離を調整して、税引前当期純利益(損失)に対応するべき税金費用に処理することができます。

●税金でも法人税と消費税とは異なる

法人税は法人の所得に対して課税され、負担者と納税者が同一の所得課税の直接税です。**消費税は負担者と納税者が異なり、商品やサービスの消費に対して課税される間接税**です。このように法人税と消費税は、課税対象や負担者と納税者の同一性の有無に違いがあり、それぞれ独自の世界観を呈しています。

消費税は消費者が負担する税金であって、事業者（会社等）は消費者から受け取った消費税を消費者に代わって国に納税しています。免税事業者や簡易課税選択事業者を除き損得は生じません。事業者は売上に伴って「受け取った消費税」から、仕入れなどによって「支払った消費税」を控除した金額を国に納税します。

事業者が納付する消費税額＝受取消費税－支払消費税

消費税の会計処理は、次の2つの方法があります。

税込処理	課税対象売上（雑収入等を含む）、課税対象仕入（各費用等を含む）の金額をそれぞれ本体価格に消費税を上乗せした「税込金額」で処理。そのため「税抜処理」より売上高等は消費税分多く計上されるが、納付する消費税は租税公課（費用）に計上されるため、税抜処理の利益と一致する
税抜処理	課税対象売上、課税対象仕入の金額をそれぞれ本体価格のみの税抜で処理。売上に伴って受け取った消費税は「仮受消費税」(負債）で、また仕入れに伴い支払った消費税は「仮払消費税」(資産）という勘定科目で会計処理をする。その差し引きした額で消費税は納税され、損益計算書には消費税は計上されない

●インボイス制度

事業者（会社等）は、消費者が負担した消費税を消費者に代わって一定期間ごとにまとめて納付します。事業者には、本来消費税について損得は発生しないのですが、一定規模以下の小規模事業者については税が免除されていました。これを正しく納税されるように2023年10月1日から**インボイス制度**が導入されました。

インボイスは、売り手が買い手に対して正確な適用税率や消費税額等を伝えるための証明書（適格請求書）の役割を果たします。消費税の納税額は、税務署に登録済みの「適格請求書発行事業者」が発行した「インボイス（適格請求書）」に記載された消費税額に基づいて、仕入税額の控除計算がされます。事業者が納付する消費税は受取消費税から支払消費税を差し引いて計算されますが、この計算式の「支払消費税」について、「インボイス（適格請求書）」に記載された消費税額が仕入税額の控除となります。**インボイスでないものは控除できません**。

「インボイス」には次のような記載事項が必要です。

①適格事業者の氏名または名称および登録番号
②課税資産の譲渡等を行った年月日
③課税資産の譲渡等に係る資産または役務の内容（軽減税率対象の場合、その旨）
④課税資産の譲渡等の税抜価額または税込価額を税率ごとに区分して合計した金額および適用税率
⑤税率ごとに区分した消費税額
⑥書類の交付を受ける事業者の氏名または名称

これまでの請求書に追加するのは、上記①④⑤（赤字記載）の登録番号と税率ごとの対価の額と適用税率、税率ごとの消費税の額です。

付録②

経営目線で役立つ決算書の活用

●経営改革(経営戦略)は決算書から

Part1で記したように、決算書とりわけ財務3表は経営の成果を表す「経営の通信簿」ですが、経営者の考え方や経営手腕を表した「経営を映す鏡」でもあります。もちろん企業のすべてを詳細に表すことは不可能ですが、企業の実態が反映されており、経営の改善、改革すべき内容のエキスが決算書の財務3表に表れています。**決算書は経営戦略における企業の現状を把握するうえでの貴重な資料**です。だからこそ決算書を読めない経営者は失格の烙印を押されても仕方ないのです。

決算書とりわけ財務3表の数値は経営戦略を策定するうえで、現状分析の欠かせない資料となり、これに基づいてビジョン、目標に向かって戦略計画を立てる貴重な材料となります。

経営戦略の基本は、「自社の得意な技術等をいかに外部経営環境に応じて活かして使っていくか」にあるので、自社の強み、弱みを把握することが大事です。この考えを**SWOT分析**といいます。SWOTは「Strength(強み)」、「Weakness(弱み)」、「Opportunity(機会)」、「Threat(脅威)」のそれぞれ頭文字をとったものです。「強み」と「弱み」は会社内部の資源に伴うものであり、「機会」と「脅威」は外部環境に依存します。

財務分析によって自社の「強み」と「弱み」を定量的に発見して、「機会」と「強み」を活かした**積極攻勢策**、「機会」と「弱み」を組み合わせた**改善・改革策**、「脅威」と「強み」を組み合わせた**差別化策**、あるいは「脅威」と「弱み」を組み合わせた**防衛・撤退策**に分類して企業に適した対策を講じることが大切です。

●未来の夢を描く戦略と計画を創ろう(ビジョナリー会計)

経営者は企業を存続していくために、「自社の財務がこうありたい、こうなりたい」という**企業のあるべき財務の姿を描いたビジョナリー決算書をデザインすることが大事**です。拙著『ビジョナリー会計の戦略と実績』(PHP研究所）に記していますが、**変化の激しい社会にあっても未来志向で夢を数字にして、望ましい数字を求める姿勢は経営戦略上必要不可欠**です。「ビジョナリー決算書」を描くにあたり注意すべきは、まず現状の決算数字を一旦リセットし、あくまで経営者の描く理想的な決算書（主にB/SとP/L）を作ります。ただし、総資産は現状に即した想定値で設定します。たとえば総資産を1,000として理想的な財務分析の数値を想定し下記のように計算、作成します。こうして作成されたビジョナリー決算書をイメージし、これと現実の決算書と比較し、中・長期の戦略計画を立てていきます。

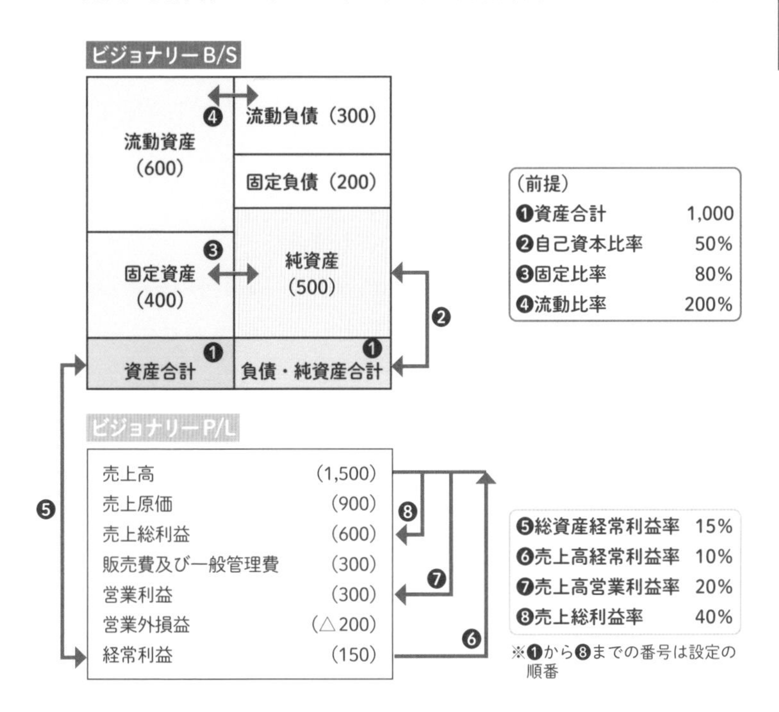

●優れた会社をベンチマークする（ベンチマーク会計）

企業の成長発展を目指すなら優れた会社をベンチマークして、優れた箇所を徹底探求して学ぶことが大切です。「ベンチマーク」は本来測量において利用する水準点を意味していましたが、あらゆる経済対象や経営管理にも使われています。**ベンチマークすること（ベンチマーキング）で優れた考えややり方（ベスト・プラクティス）を学び、自社の弱点や改善・改革すべき問題点を発見し、自社の経営手法に応用し戦略計画に資することができる**といえるでしょう。

ベンチマーキングの対象会社として同業者を選ぶことがセオリーですが、異業種でも新たな視点で考究できるので面白いと思います。

優良企業の決算書をベンチマークする前提として、その企業の沿革や事業内容、創業者や経営者の理念・考え方、将来のビジョンなどの予習と準備が必要です。なぜなら企業それぞれ歴史や文化の違いがあり、単純にまねることは危険だからです。あくまで自社の経営哲学や経営理念、ビジョンに則った経営戦略を立てましょう。

また優良企業の決算書（財務3表）をベンチマークするには、自社と規模も異なる（通常自社が小さい）ので、ベンチマーク会社の総資産額を自社の総資産額と同額にして、その縮小（または拡大）割合ですべての項目を合わせます。そのうえで自社とベンチマーク会社の貸借対照表と損益計算書、キャッシュフロー計算書の比較検討を行います。総資産経常利益率など財務比率の優劣の比較と、ベンチマーキングによる縮小（拡大）版での差額分析によって、強みと弱みがはっきり見え、戦略計画策定の足掛かりとなります。

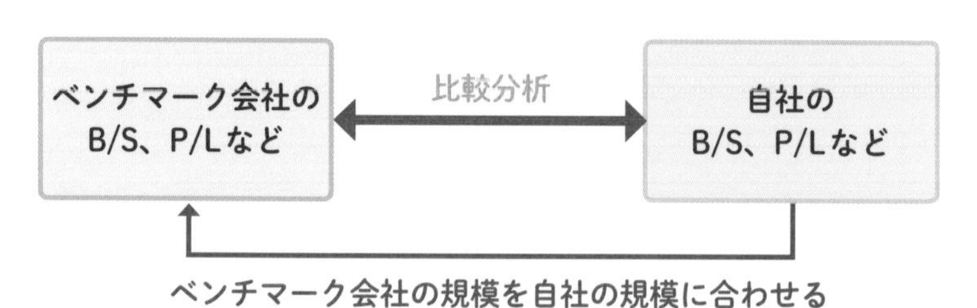

●決算書リスクに気づいて戦略を立てる（リスク会計）

「事業リスク」は事業が始まったときから存在します。自然災害や政治・経済・社会の変化、法律の改正、海外事情の変化などの外部リスク、製品不良や陳腐化、労働争議、財務体質の脆弱、資金不足、管理不十分、人手不足、人間関係の不和などの内部リスクが数多くあります。経営者の死亡や病気も大きなリスクです。このように**企業を取り巻くリスクを予見し、予防または回避の対策を講じ、損失が発生した場合、決算書が大きく毀損しないよう企業の存続を図っていかなければなりません**。リスクマネジメントは企業経営の維持にとって必要不可欠なものです。

財務の危険要素として次のようなリスクが考えられます。

外貨預金	外貨建預金や債権・債務に対する為替変動リスク
受取手形	不渡り
売掛金	取引先倒産などによる回収不能
有価証券	時価下落、無配当、減配
棚卸資産	滞留在庫、不良在庫
貸付金、未収金、立替金	回収不能
有形固定資産	低稼働率、遊休未稼働、時価下落
無形固定資産	資産価値下落
投資資産	時価下落、未利用
簿外負債	リース契約の残高
退職給付引当金などの負債性引当金	計上不足
係争事件	損害賠償義務など

以上さまざまなリスクがあり、適切な事前対策が必要です。

●損益の耐震力を知って戦略を立てる（損益分岐点会計）

経営戦略には企業存続の基礎となる「目標利益」の設定が不可欠です。**目標利益の設定には、[1]総資産経常利益率から算出する方法、[2]企業を維持するのに規範とすべきものから算出する方法、[3]キャッシュフローから算出する方法**などがありますが、**現状の損益分岐点（収益耐震力）によって算出する方法も有益**です。p.132を参考に変動費、固定費、限界利益率から目標利益を算出します。

①目標限界利益率の算出（1－目標変動比率）
②固定費の見積（目標固定費、人件費など）
③目標損益分岐点の算出
目標損益分岐点＝目標固定費（②）÷目標限界利益率（①）
④目標損益分岐点比率の設定
⑤目標売上高の算出
目標売上高＝目標損益分岐点（③）÷目標損益分岐点比率（④）
⑥目標経常利益の算出
目標経常利益＝目標売上高（⑤）×目標限界利益率（①）
－目標固定費（②）

目標売上高は、目標固定費に目標経常利益を加えたものから目標限界利益率で割り算しても計算できます。

目標売上高＝（目標固定費＋目標経常利益）÷目標限界利益率

この目標経常利益から、見積法人税額を控除して目標当期純利益を計算し、見積減価償却費を加えて目標営業キャッシュフローを割り出し、借入金の返済額や設備投資計画額を考慮した目標キャッシュフローを算出することが戦略上大事です。

●過去決算から未来決算へ意識の転換を図る（先行決算）

伝統的な決算書は過去の経営活動の結果をまとめたもので、これによって株主などに報告し、税金や配当金などが決定されます。いわゆる過去決算です。伝統的な会計サイクルは、年度計画→月次決算→本決算＝決算書という流れになります。しかしこれでは、Plan-Do-Check-Actionの管理サイクルが後手になり、原因を探ったり対策を考えたりしている間に手遅れになってしまいます。これを防ぐために、**年度計画→先行管理（月次決算と先行決算）→本決算＝決算書という未来創造型の先行管理サイクルを取り入れることが必要**です。**先行決算は、常に先を見て年度末の見込み決算書を作成しながら本決算へと進み、期中に経営管理に役立たせるもの**です。年度途中までの実績と今後の見込み数値を加えて（年度計画と現状を基に先行管理による見込み数値を加える）年度末の先行決算書を作ります。この見込み数値は、単なる見込み額や当初の計画値ではなく、**先行管理**（期中のさまざまな情報に基づいた先手管理による管理手法）によって導き出されたものです。これによって、期中の段階において年度末の決算数値が見えてきて、早期に経営対策が実行でき、また次年度の計画も合理的に策定することができるのです。

「先行決算」の特徴としては次のような点が挙げられます。

・事前にわかる**未来決算（未来会計）**であるため、経営の創造と革新に役立ち、本決算を待って慌てることはない

・計画経営に基づいた**財務会計と管理会計と融合した決算**であるため、計画・目標を実現するために有効に機能する

変化の早いまた激しい現代において、「先行決算」の考え方は経営管理においても財務会計においても大変役立つ戦略手法といえます。

Index

記号・アルファベット

あ行

か行

さ行

Index

た行

は 行

ま 行

や 行

ら 行

■ 問い合わせについて

本書の内容に関するご質問は、下記の宛先までFAX または書面にてお送りください。
なお電話によるご質問、および本書に記載されている内容以外の事柄に関するご質問には
お答えできかねます。あらかじめご了承ください。

〒162-0846
東京都新宿区市谷左内町21-13
株式会社技術評論社　書籍編集部
「60分でわかる!　財務3表　超入門」質問係
FAX:03-3513-6181

※ご質問の際に記載いただいた個人情報は、ご質問の返答以外の目的には使用いたしません。
また、ご質問の返答後は速やかに破棄させていただきます。

60分でわかる! 財務3表　超入門

2024年 7月27日　初版　第1刷発行
2024年10月 9日　初版　第2刷発行

著者……………………高良　明

発行者…………………片岡　巌
発行所…………………株式会社 技術評論社
　　　　　　　　　　東京都新宿区市谷左内町 21-13
電話……………………03-3513-6150　販売促進部
　　　　　　　　　　03-3513-6185　書籍編集部
編集……………………株式会社 エディポック
担当……………………秋山絵美（技術評論社）
装丁……………………菊池　祐（株式会社 ライラック）
本文デザイン…………山本真琴（design.m）
レイアウト・作図……株式会社 エディポック
製本／印刷……………株式会社シナノ

ISBN978-4-297-14281-0　C0034
Printed in Japan